中学数学で磨く数学センス

数と図形に強くなる新しい勉強法

花木良　著

ブルーバックス

カバー装幀／五十嵐徹（芦澤泰偉事務所）
カバーイラスト／カワイハルナ
本文デザイン・図版制作／鈴木知哉＋あざみ野図案室

はじめに

「数学的なセンス」とはなんでしょうか。

計算が速くできること？　確かに，正確に速く計算ができる力は素晴らしいものですし，効率的な暗算の方法を説く本が繰り返しベストセラーになってきたことも事実です。「数＝計算」というイメージが，多くの方に共有されていることは間違いないでしょう。

実際に「数学の問題を解く」，それも「正確に速く解く」うえで，計算技能に習熟することは大切です。

しかし，「数学センス＝計算力」では決してありません。実際，数学の専門家でも計算に時間がかかる人は少なくありませんし，ごく簡単な四則演算をミスすることもあります。

あえて喩（たと）えるなら，サッカーをうまくプレーできる能力が「数学センス」で，ボールを落とさずに蹴り続けるリフティングが「計算力」に相当するでしょうか。「リフティングが上手にできる人」が，必ずしも「創造性あふれるプレーができる優れたサッカー選手」ではないことは，容易に想像がつくでしょう。

「数学センス＝計算力」という誤解が生じてしまう背景には，数学とは「問題を解く」ことであるという先入観があるように思われます。しかし，数学は決して「与えられた問題を解く」学問ではありません。

「数」や「図形」，あるいは「立体」といった，数学の対象となる事物について，その成り立ちやふるまい，背後にひそも法則や定理について知り，理解を深め，新たな現象（問題や定理）を見出していくことが，数学の本質です。

つまり，数学的なセンスとは，数学を楽しみ，問いを掘り下げ，「数」や「図形」の世界についてより深く理解するための道筋を自らたどることができる能力です。ここでは，そのような能力を「数学する力」とよんでおきましょう。

「数学する力」なんて，そう簡単には身につかないだろう——数学に対して苦手意識のある人ほど，そのように思われるかもしれません。しかし，意外に感じられるかもしれませんが，「数学する力」，あるいは「数学センス」の基礎は，義務教育として誰もが中学校で教わる数学にすべて詰まっているのです。本書の題名に，「中学数学で磨く」とつけられているゆえんです。

わかりやすい例をご紹介しましょう。次の図は，中学3年生で学ぶ「三平方の定理」を図示したものです。

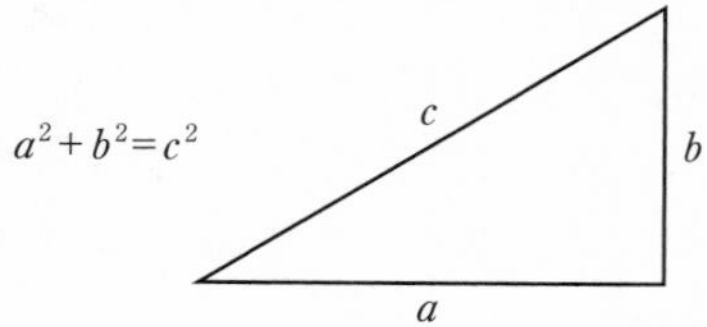

三平方の定理とは，「直角三角形の斜辺の長さの2乗は，他の2辺の長さの2乗の和である」というものですが，この理解だけで済ませたのでは，「あまりにもったいない！」と言わざるをえません。

幾何の法則として習うこの定理にはもう一つ，「2つの2乗した数の和が，また別の2乗した数になっている」という重要な数の性質を示す側面があるからです。その点に注意が向けば，2乗した数にはどんな特徴があるのかという疑問が生まれてきます。では3乗した数や4乗した数は？——このようにして問いは深まり，新たな疑問に気づくことができるようになるのです。

また，分数を小数で表し，小数点以下に並ぶ数字を図形化すると，そこに見事な「対称性」が現れることがあります。なぜそのような現象が起こるのでしょうか？

これらの例が示すように，「数を図形でとらえ，図形を数でとらえる」ことは，数学の理解を深めるための重要なステップなのですが，残念ながら学校では，そのような視点から学ぶ機会は多くありません。「定理を定理として覚える」ことにとどまりがちですが，それではいかにももったいなく，「数学センス」を磨く機会を逸しているのです。

本書では，そのような「もったいないギャップ」を埋め，中学数学の知識をフル活用しながら数学を楽しみ，「数学センス」を磨くための勉強法をご紹介していきます。

一部には高校数学以降で学ぶ発展的な内容も含まれますが，それらのより高度な数学が，「自ら問いをもち，探究を深めていく」道筋の自然な延長線上にあることも理解できると思います。

数学をこれから学ぶ世代はもちろん，学び直したいという人にとっても，学校では習わない視点が満載の「新しい時代の新しい勉強法」だと自負しています。「理系に強い子どもに育てたい」親御さんにとってもヒントになるよう工夫してありますので，どうぞ最後までお楽しみください。

もくじ

第2部
「数」を「図形」でとらえるセンスを磨く

第3部 「図形」のセンスを磨く

第1部

「数」のセンスを磨く

1	2	3	4	5	6	7	8	9
2	4	6	8	10	12	14	16	18
3	6	9	12	15	18	21	24	27
4	8	12	16	20	24	28	32	36
5	10	15	20	25	30	35	40	45
6	12	18	24	30	36	42	48	54
7	14	21	28	35	42	49	56	63
8	16	24	32	40	48	56	64	72
9	18	27	36	45	54	63	72	81

第1章

「九九表」の探究で磨く

「数」に対するセンスを磨くために，まずは「九九表」の探究からスタートしよう。

1	2	3	4	5	6	7	8	9
2	4	6	8	10	12	14	16	18
3	6	9	12	15	18	21	24	27
4	8	12	16	20	24	28	32	36
5	10	15	20	25	30	35	40	45
6	12	18	24	30	36	42	48	54
7	14	21	28	35	42	49	56	63
8	16	24	32	40	48	56	64	72
9	18	27	36	45	54	63	72	81

この章のポイントは，次の3つである。

- **九九表にひそむ「対称性」を探してみよう。**
- **九九表に出てくる「数字の規則性」を見つけてみよう。**
- **九九表にある「すべての数の和」や「部分的な和」を求めてみよう。**

1.1 九九表にひそむ「対称性」を探す

九九表の左上から右下にかけて対角線を引いてみよう。数の並びが線対称になっていることがわかるだろう。

線対称になる理由は，かけ算の交換法則，すなわち，○×□＝□×○が成り立つことからわかる。

九九表中の数字の「1の位」だけに注目すると，右上から左下にかけての対角線に対しても，線対称であることに気がつくはずだ。

1	2	3	4	5	6	7	8	9
2	4	6	8	10	12	14	16	18
3	6	9	12	15	18	21	24	27
4	8	12	16	20	24	28	32	36
5	10	15	20	25	30	35	40	45
6	12	18	24	30	36	42	48	54
7	14	21	28	35	42	49	56	63
8	16	24	32	40	48	56	64	72
9	18	27	36	45	54	63	72	81

$3 \times 4 = 12$ と $6 \times 7 = 42$ の1の位はともに2で，$7 \times 2 = 14$ と $8 \times 3 = 24$ の1の位はともに4というように対応していることが，すべての組で確認できる。

このことから，$a \times b$ と $(10 - b) \times (10 - a)$ の1の位が等しいと定式化できることに注意を向けよう。後者を計算してみると，

$$(10 - b) \times (10 - a) = 100 - 10(a + b) + ab$$

であるため，100 − 10（$a+b$）は1の位に影響しない。したがって，ab で1の位が決まることがわかる。

(!) 九九表に限らず，さまざまな数表に対して，いろいろな直線で対称性を探してみることが，数に対するセンスを磨く第一歩となることを覚えておこう。

1.2 九九表の「段」の関係に注目すると……？

続いて，九九表における各段の関係に注目してみよう。

たとえば，3の段と4の段を足すと，7の段を作ることができる。

3	6	9	12	15	18	21	24	27
+	+	+	+	+	+	+	+	+
4	8	12	16	20	24	28	32	36
‖	‖	‖	‖	‖	‖	‖	‖	‖
7	14	21	28	35	42	49	56	63

3	+	4	=	7
6	+	8	=	14
9	+	12	=	21
12	+	16	=	28
15	+	20	=	35
18	+	24	=	42
21	+	28	=	49
24	+	32	=	56
27	+	36	=	63

これは，$(3+4)\times a=7a$ であることからわかる。他の段でも同じ性質がいえる。

かけ算では，$a\times b=b\times a$ なので，横に見ても段や列の和の関係が成り立っている。

各段の関係に注目して，数の和や積を実際に計算してみてほしい。

1.3 「1の位の規則性」を探る

前々節でも注目した「1の位」に出てくる数字について，あらためて考えてみよう。何か法則性はないだろうか。

1の位に現れる数字順に書いてまとめると，次の表のようになる。

1の段	1, 2, 3, 4, 5, 6, 7, 8, 9
2の段	2, 4, 6, 8, 0
3の段	3, 6, 9, 2, 5, 8, 1, 4, 7
4の段	4, 8, 2, 6, 0
5の段	5, 0
6の段	6, 2, 8, 4, 0
7の段	7, 4, 1, 8, 5, 2, 9, 6, 3
8の段	8, 6, 4, 2, 0
9の段	9, 8, 7, 6, 5, 4, 3, 2, 1

1，3，7，9の各段には，1から9までの数字が出てきていることに気づく。

また，1の段に出てくる数字は9の段に出てくる数字の逆順となっており，2の段に出てくる数字は8の段に出てくる数字の逆順となっている。3の段と7の段，4の段と6の段についても同様のことがいえる。

こんどは，1の位に出てくる数を図示してみよう。円周を10等分し，0から9の数字を振る。1の位に出てくる数字を順に結ぶと，どうなるだろうか。

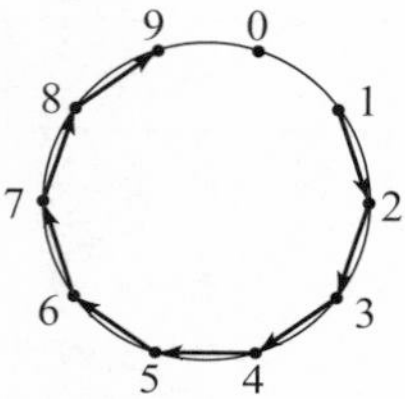

1の段

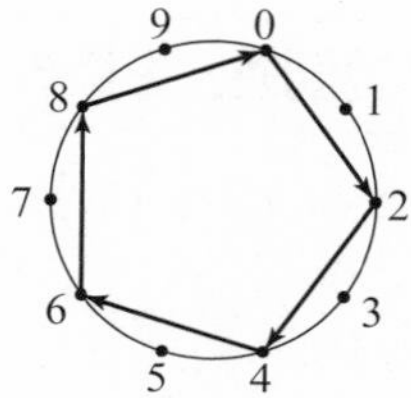

2の段

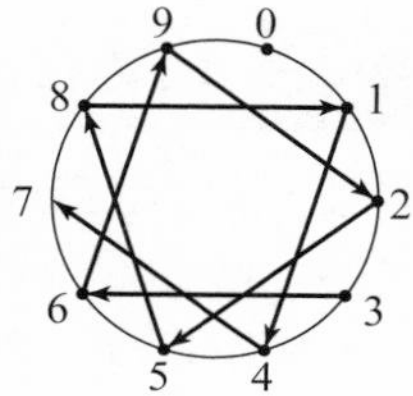

3の段

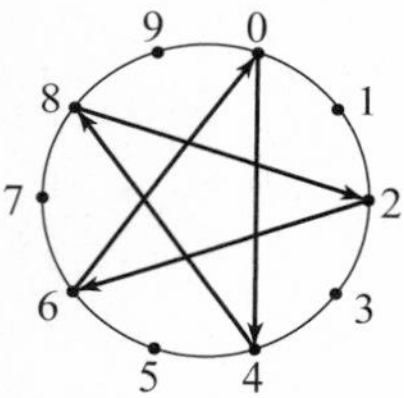

4の段

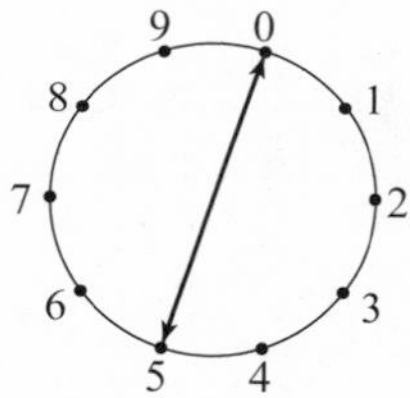

5の段

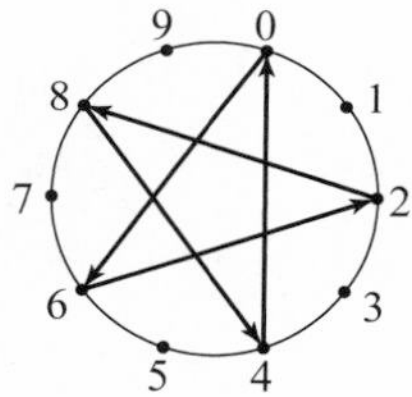

6の段

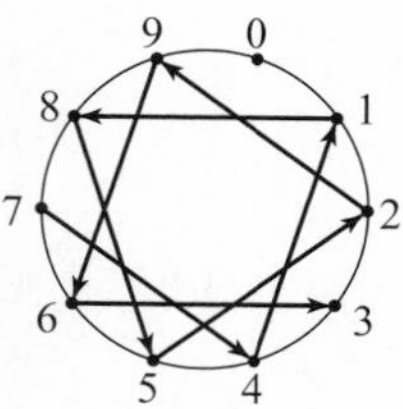

7の段

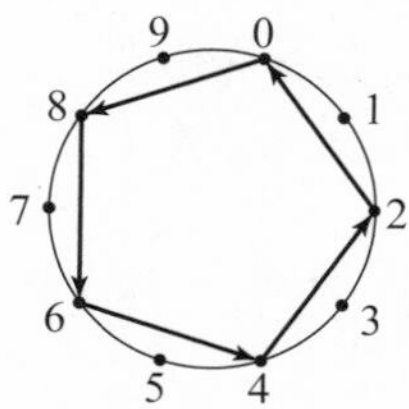

8の段

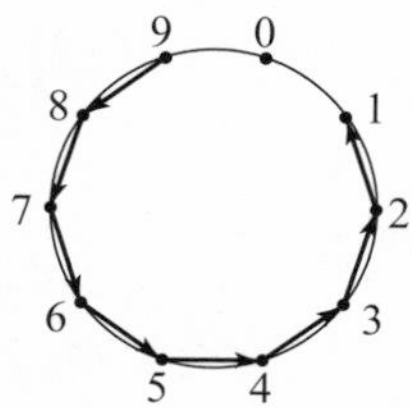

9の段

「× 10」までを入れて「× 1」に結ぶと，0が加わってすべて閉じた図形になる。

2の段と8の段では正五角形が，4の段と6の段では星形が，というように，先ほどの表で数字の並びがちょうど反対になっていた段どうしで，同じ形が現れていることがわかる。

１の段と９の段，３の段と７の段では明瞭な図形にはなっていないが，いずれも同じ形となっている。５の段には数字の並びが反対になっている段は存在しないが，円を半分にする直線が描かれている。

このように，

(!)「図に表す」ことで数の並びの対称性が見えてくる。

第２部で，「数を図に表す」とはどういうことかについて，さらに深掘りしてみよう。

1.4 九九表に出てくる数

次に，九九表に出てくる各数について，その登場回数を考えてみよう。

次表に示すように，１回だけ出てくる数と，２回，３回，４回出てくる数がある。

1回	1,25,49,64,81（5個）
2回	2,3,5,7,10,14,15,20,21,27,28,30,32,35,40,42,45,48,54,56,63,72（22個）
3回	4,9,16,36（4個）
4回	6,8,12,18,24（5個）

１回しか出てこない数は，

$$1 \times 1 = 1,\ 5 \times 5 = 25,\ 7 \times 7 = 49,$$
$$8 \times 8 = 64,\ 9 \times 9 = 81$$

というように，同じ数を２回かけている（２乗している）

ことがわかる。

2回出てくる数は，

$$1 \times 2 = 2 \times 1,\ 1 \times 3 = 3 \times 1,\ 1 \times 5 = 5 \times 1,\ \cdots$$

というように，異なる数のかけ算と，その前後の数を交換したかけ算の組である。

3回出てくる数で起こっていること

それでは，3回出てくる数はどうだろうか。こちらは，

$$1 \times 4 = 4 \times 1 = 2 \times 2,\ 1 \times 9 = 9 \times 1 = 3 \times 3,$$
$$2 \times 8 = 8 \times 2 = 4 \times 4,\ 4 \times 9 = 9 \times 4 = 6 \times 6$$

というように，異なる数のかけ算とその前後の数を交換したものに加えて，同じ数を2回かけた（2乗した）ものになっている。

かけ算 $a \times b$ では，かけられる数 a を c 倍し，かける数 b を c で割ってから計算しても，答えが変わらない性質がある（$a \times b = (a \times c) \times (b \div c)$）。これらは等号で結ぶことができ，3回出てくる数がまさにこの形になっている。

$$1 \times 4 = (1 \times 2) \times (4 \div 2) = 2 \times 2,$$
$$1 \times 9 = (1 \times 3) \times (9 \div 3) = 3 \times 3,$$
$$2 \times 8 = (2 \times 2) \times (8 \div 2) = 4 \times 4,$$
$$4 \times 9 = \left(4 \times \frac{3}{2}\right) \times \left(9 \div \frac{3}{2}\right) = 6 \times 6$$

次に，4回出てくる数は，

$$
\begin{aligned}
1 \times 6 &= 6 \times 1 = 2 \times 3 = 3 \times 2, \\
1 \times 8 &= 8 \times 1 = 2 \times 4 = 4 \times 2, \\
2 \times 6 &= 6 \times 2 = 3 \times 4 = 4 \times 3, \\
2 \times 9 &= 9 \times 2 = 3 \times 6 = 6 \times 3, \\
3 \times 8 &= 8 \times 3 = 4 \times 6 = 6 \times 4
\end{aligned}
$$

である。

ここで，かけ算を○の数で表してみよう。

1 × 6 は○○○○○○で，2 × 3 は ○○○
○○○ と表される。

したがって，1 × 6 の右側の○ 3 個を残った○ 3 個の下に並べて，2 × 3 と等しくなると考えることもできる。

九九表に現れる数を小さい数から順に並べると，

1, 2, 3, 4, 5, 6, 7, 8, 9, 10, 12, 14, 15, 16, 18, 20, 21, 24, 25, 27, 28, 30, 32, 35, 36, 40, 42, 45, 48, 49, 54, 56, 63, 64, 72, 81

である。

逆に，九九表中の 81 までに現れない数は，

11, 13, 17, 19, 22, 23, 26, 29, 31, 33, 34, 37, 38, 39, 41, 43, 44, 46, 47, 50, 51, 52, 53, 55, 57, 58, 59, 60, 61, 62, 65, 66, 67, 68, 69, 70, 71, 73, 74, 75, 76, 77, 78, 79, 80

である。

(!) 九九表に現れる回数を見ておくと，公約数や公倍数を見つけることも容易になる。

1.5 九九表の数字の和を考える

九九表に現れるさまざまな数の「和」について探究してみよう。

たとえば9の段で10の位と1の位の数の和をとると，どれも9である。

$$0+9=9,\ 1+8=9,\ 2+7=9,$$
$$3+6=9,\ 4+5=9,\ 5+4=9,$$
$$6+3=9,\ 7+2=9,\ 8+1=9$$

これを生かした「指折り計算」が知られている。

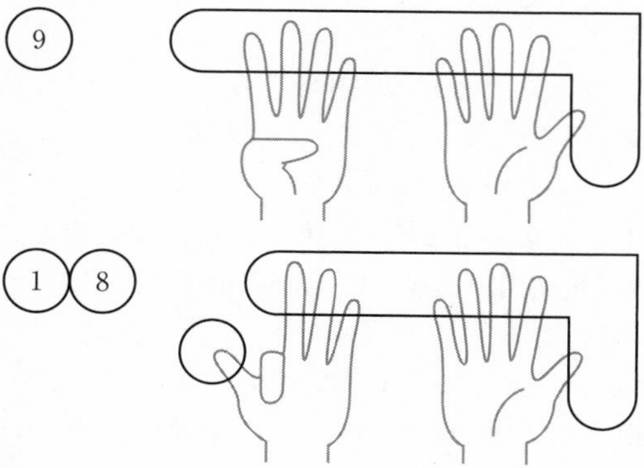

両手を広げて，「9にかける数」と「折る指」を対応させる。2をかける場合は，左から2番目の指を折る。すると，その指の左側の立っている指の数が10の位を示し，右側に立っている指の数は1の位を示している。

同様に，九九表にあるすべての数の2桁の数字の和をとってみよう。

1	2	3	4	5	6	7	8	9
2	4	6	8	1	3	5	7	9
3	6	9	3	6	9	3	6	9
4	8	3	7	2	6	10	5	9
5	1	6	2	7	3	8	4	9
6	3	9	6	3	9	6	12	9
7	5	3	10	8	6	13	11	9
8	7	6	5	4	12	11	10	9
9	9	9	9	9	9	9	9	9

さらに，この２桁の数の和をとると，次のようになる。

1	2	3	4	5	6	7	8	9
2	4	6	8	1	3	5	7	9
3	6	9	3	6	9	3	6	9
4	8	3	7	2	6	1	5	9
5	1	6	2	7	3	8	4	9
6	3	9	6	3	9	6	3	9
7	5	3	1	8	6	4	2	9
8	7	6	5	4	3	2	1	9
9	9	9	9	9	9	9	9	9

段ごとの性質を表にまとめてみよう。次の３種類に分かれることに気づくはずだ。

1から9までのすべての数が現れる	1,2,4,5,7,8の段
3,6,9のみ	3,6の段
9のみ	9の段

1.6 九九表の数をすべて足すと……？

九九表中にある 81 個の数をすべて足した和を考えてみよう。

まず 1 の段の和は，$1 + 2 + 3 + 4 + 5 + 6 + 7 + 8 + 9 = 45$ である。

計算アイデアを得るために，図で表してみよう。「$1 + 2 + 3 + 4 + 5 + 6 + 7 + 8 + 9$」を 2 つ準備して，貼り合わせると，縦が 10，横が 9 の長方形ができる。

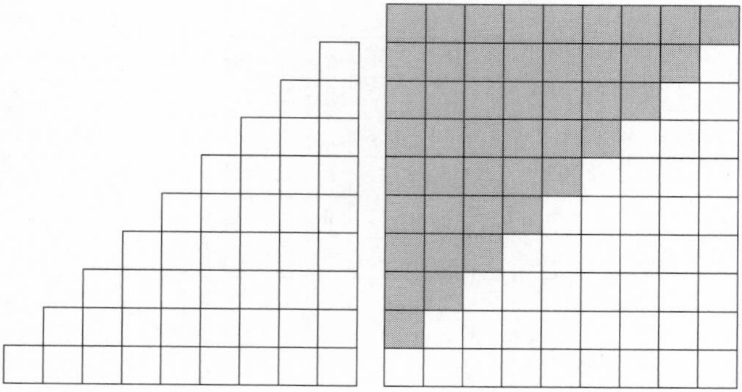

よって，$1 + 2 + 3 + 4 + 5 + 6 + 7 + 8 + 9 = 10 \times 9 \div 2 = 45$ である。

同様に計算すると，2 の段の総和は 90，3 の段の総和は 135，4 の段の総和は 180，5 の段の総和は 225，6 の段の総和は 270，7 の段の総和は 315，8 の段の総和は 360，9 の段の総和は 405 である。

よって，九九表の総和は，

$$45 + 90 + 135 + 180 + 225 + 270 + 315 + 360 + 405$$
$$= 450 \times 9 \div 2 = 2025$$

である。

より良い方法を探す

前記の方法でも答えは得られるが，より良い方法はないだろうか？　「より良い方法」を探る姿勢が，数に対するセンスを格段に磨いてくれる。

九九表中に現れる 81 個の数字の総和が 2025 なので，平均は $2025 \div 81 = 25$ である。4 個の数を集めれば，100 となる計算だ。

この視点で九九表を見返すと，表の四角にある数字 1，9，81，9（1×1，1×9，9×9，9×1）の和が 100 である。同様に，2，18，72，8（1×2，2×9，9×8，8×1）の和や，12，28，42，18（3×4，4×7，7×6，6×3）の和も 100 である（次ページの図参照）。

この見方を進めると，九九表の中央にある 25 以外は，4 つの数で 100 を作ることができるとわかる。このことに気づけば，$2000 + 25 = 2025$ であると考えることができる。

(!) 2025が求まったらそれで終わりにせず，数の見方を変えると，別の求め方が浮かんでくることがある。数学ではつねに，「別の方法＝より良い方法」を探ることが重要だ。

1	2	3	4	5	6	7	8	9
2	4	6	8	10	12	14	16	18
3	6	9	12	15	18	21	24	27
4	8	12	16	20	24	28	32	36
5	10	15	20	25	30	35	40	45
6	12	18	24	30	36	42	48	54
7	14	21	28	35	42	49	56	63
8	16	24	32	40	48	56	64	72
9	18	27	36	45	54	63	72	81

1.7 九九表の数を「部分的に」足す

こんどは，九九表中の数を全部ではなく部分的に足してみよう。

たとえば，1 × 1 から順に，4 個，9 個，16 個を足していくと，

$$1,\ 1 + 2 + 2 + 4 = 9,$$
$$1 + 2 + 3 + 2 + 4 + 6 + 3 + 6 + 9 = 36,$$
$$1 + 2 + 3 + 4 + 2 + 4 + 6 + 8 + 3 + 6 + 9 + 12$$
$$+ 4 + 8 + 12 + 16 = 100$$

である。

これらの数を指数を用いて表すと，

$$1 = 1^2,\ 9 = (1 + 2)^2,\ 36 = (1 + 2 + 3)^2,$$
$$100 = (1 + 2 + 3 + 4)^2$$

である。この関係を図示すると，次のようになる。

1	2	3	4	5	6	7	8	9
2	4	6	8	10	12	14	16	18
3	6	9	12	15	18	21	24	27
4	8	12	16	20	24	28	32	36
5	10	15	20	25	30	35	40	45
6	12	18	24	30	36	42	48	54
7	14	21	28	35	42	49	56	63
8	16	24	32	40	48	56	64	72
9	18	27	36	45	54	63	72	81

次に，１×１を縦が１で横が１の正方形，１×２を縦が１で横が２の長方形というように，九九表を四角形で図示してみよう。次の図は，１×１から５×５までを表している。

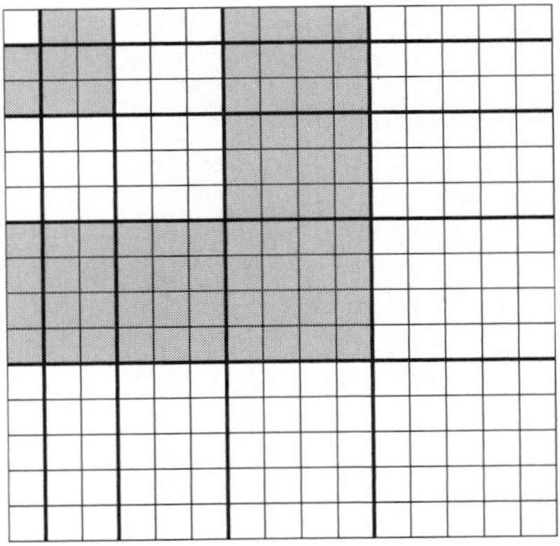

このように考えると，九九表の数をすべて足した和は，1辺が1 + 2 + 3 + 4 + 5 + 6 + 7 + 8 + 9の正方形の面積と等しいので，

$$(1+2+3+4+5+6+7+8+9)^2 = 45^2 = 2025$$

と計算することができる。

九九表に隠されたさらなる規則性を求めて

次に，逆L字形のように九九表中の数を足してみる。

$$1,\ 2+2+4=8,\ 3+6+3+6+9=27,$$
$$4+8+12+4+8+12+16=64,$$
$$5+10+15+20+5+10+15+20+25=125$$

である。これらの数を指数を用いて表すと，

$$1=1^3,\ 8=2^3,\ 27=3^3,\ 64=4^3,\ 125=5^3$$

1	2	3	4	5	6	7	8	9
2	4	6	8	10	12	14	16	18
3	6	9	12	15	18	21	24	27
4	8	12	16	20	24	28	32	36
5	10	15	20	25	30	35	40	45
6	12	18	24	30	36	42	48	54
7	14	21	28	35	42	49	56	63
8	16	24	32	40	48	56	64	72
9	18	27	36	45	54	63	72	81

である。

逆Ｌ字形に並んだこれらの数の関係を次の図のように見ると，2^2 が２個，3^2 が３個，4^2 が４個あると見えてくる。

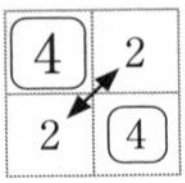

4+4=8

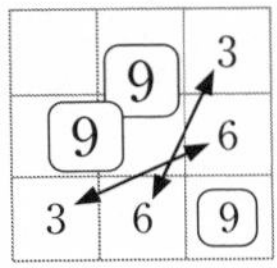

9+9+9=27

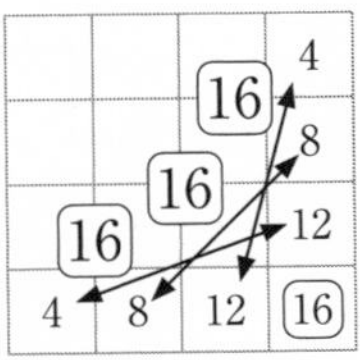

16+16+16+16=64

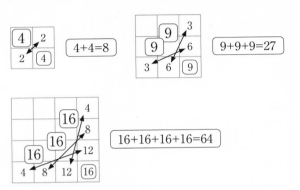

(!) 九九表は規則的な表なので，さまざまな数が隠れている。ここで紹介した以外にもいろいろな部分を足してみて，規則性・関係性を探究してみよう。

第2章 「素数」の探究で磨く〈その1〉

素数は，中学1年生で学習する。素数の「素」という文字は，物理学における「素」粒子や化学における元「素」などにも使われているように，なんらかの物事の「おおもと」であり，基本構造をなすものを意味している。

数学における素数も同様で，あらゆる数のおおもと，基本構造をなす存在である。

この章のポイントは，次の3つである。

- **あらゆる数が「素数」から成り立つことを確認しよう。**
- **「素数表」づくりに挑戦しよう。**
- **「素数の並び」について探究しよう。**

2.1 素数とは

6は，$6 = 2 \times 3$のように，1以外の数の積で表される。他の数でも，

$$4 = 2 \times 2,\ 8 = 4 \times 2 = 2^3,\ 9 = 3^2,\ 10 = 2 \times 5,$$
$$12 = 6 \times 2 = 4 \times 3 = 2^2 \times 3,\ 14 = 2 \times 7$$

のような数が，1以外の数の積で表される。このような数を「合成数」という。

一方，2, 3, 5, 7, 11は，1以外の数の積では表せない。このような数を「素数」という。別の言い方をすると，2, 3, 5, 7, 11は，1と自分自身以外の約数をもたないといえる。

1以外の自然数は，素数と合成数の2種類に分けられる。

素数	合成数
2,3,5,7,11,…	4,6,8,9,10,12…

たとえば8は，$8 = 2 \times 4$と$8 = 2 \times 2 \times 2 = 2^3$と，2種類の1以外の数の積で表される。

12は，$12 = 3 \times 4$と$12 = 2 \times 6$，それに$12 = 2 \times 2 \times 3 = 2^2 \times 3$の3種類で表される。

これらのうち，素数のみの積で表されるものがそれぞれ1つある。$8 = 2^3$，$12 = 2^2 \times 3$である。

一般に，どんな自然数も素数だけの積で表すことができ，それは1通りのみであることが知られている。自然数を素数のみの積で表すことを「素因数分解」といい，それがただ1通りであることを「素因数分解の一意性」という。

自然数を素因数分解する

自然数を素因数分解したいときは，小さい素数で割り切れるかどうかを確かめ，実際に割っていけばよい。

たとえば，36なら2で割れるので，$36 \div 2 = 18$である。さらに2で割れるので，$18 \div 2 = 9$である。次に，9は3で割れるので，$9 \div 3 = 3$であり，商の3は素数である。よって，

$$36 = 2 \times 2 \times 3 \times 3$$

であるとわかる。

大きい自然数を素因数分解することは簡単ではない。

たとえば，手計算で361を素因数分解することを考えてみよう。2，3，5では割り切れないし，7でも11でも，13でも17でも割り切れない。しかし，361は19で割り切れ，商は19なので，$361 = 19^2$である。

大きい自然数を素因数分解することは容易ではないが，それがどんなに大きい自然数であっても，必ず素数だけの積で表すことができ，それはただ1通りのみに決まる。これが，素数があらゆる数のおおもと，すなわち基本構造をなす存在であるという意味である。

たとえば，171957から171963は次のように素因数分解される。

$$171957 = 3 \times 31 \times 43^2$$
$$171958 = 2 \times 127 \times 677$$
$$171959 = 61 \times 2819$$
$$171960 = 2^3 \times 3 \times 5 \times 1433$$
$$171961 = 359 \times 479$$
$$171962 = 2 \times 7 \times 71 \times 173$$
$$171963 = 3^4 \times 11 \times 193$$

1通りに素因数分解される

素因数分解を的確に，かつ迅速におこなうには，どの数が素数であるかを知っているとよい。そのためには「素数の表」があると便利である。

2.2 「素数表」を作ってみよう

素数の表を作る方法を考えてみよう。

2と3は素数，4は $4 = 2 \times 2$ なので合成数，5は素数，6は $6 = 2 \times 3$ なので合成数，7は素数，$8 = 2 \times 2 \times 2$ なので合成数，9は $9 = 3 \times 3$ なので合成数，10は $10 = 2 \times 5$ なので合成数である。

では，23は素数だろうか。23は，それぞれ素数である2でも3でも，5でも7でも，11でも13でも，あるいは17でも19でも割り切れない。したがって素数である。

もう少し大きい数である143はどうだろう。考え方はこれまでと同じで，小さい素数から順に割って素因数を探せばよい。143は，2でも3でも割れない，5でも7でも割れないが，11で割れ，商は13である。したがって，$143 = 11 \times 13$ と素因数分解される。

このように，素数の2, 3, 5, 7…で順に割り切れるかを見ていくと，素数であれば割り切れずに残る。この方法を用いて，200までの素数を探してみよう。

次ページ以降に示すステップ1からステップ6までの各表を見ながら，実際に手を動かしてみてほしい。

なお，1は素数でも合成数でもないので，あらかじめ「×」をつけて消しておくことにする。

ステップ1 2の倍数を消していく

1	2	3	4	5	6	7	8	9	10
11	12	13	14	15	16	17	18	19	20
21	22	23	24	25	26	27	28	29	30
31	32	33	34	35	36	37	38	39	40
41	42	43	44	45	46	47	48	49	50
51	52	53	54	55	56	57	58	59	60
61	62	63	64	65	66	67	68	69	70
71	72	73	74	75	76	77	78	79	80
81	82	83	84	85	86	87	88	89	90
91	92	93	94	95	96	97	98	99	100
101	102	103	104	105	106	107	108	109	110
111	112	113	114	115	116	117	118	119	120
121	122	123	124	125	126	127	128	129	130
131	132	133	134	135	136	137	138	139	140
141	142	143	144	145	146	147	148	149	150
151	152	153	154	155	156	157	158	159	160
161	162	163	164	165	166	167	168	169	170
171	172	173	174	175	176	177	178	179	180
181	182	183	184	185	186	187	188	189	190
191	192	193	194	195	196	197	198	199	200

ステップ２　3の倍数を消していく

1	2	3	4	5	6	7	8	9	10
11	12	13	14	15	16	17	18	19	20
21	22	23	24	25	26	27	28	29	30
31	32	33	34	35	36	37	38	39	40
41	42	43	44	45	46	47	48	49	50
51	52	53	54	55	56	57	58	59	60
61	62	63	64	65	66	67	68	69	70
71	72	73	74	75	76	77	78	79	80
81	82	83	84	85	86	87	88	89	90
91	92	93	94	95	96	97	98	99	100
101	102	103	104	105	106	107	108	109	110
111	112	113	114	115	116	117	118	119	120
121	122	123	124	125	126	127	128	129	130
131	132	133	134	135	136	137	138	139	140
141	142	143	144	145	146	147	148	149	150
151	152	153	154	155	156	157	158	159	160
161	162	163	164	165	166	167	168	169	170
171	172	173	174	175	176	177	178	179	180
181	182	183	184	185	186	187	188	189	190
191	192	193	194	195	196	197	198	199	200

ステップ3　5の倍数を消していく

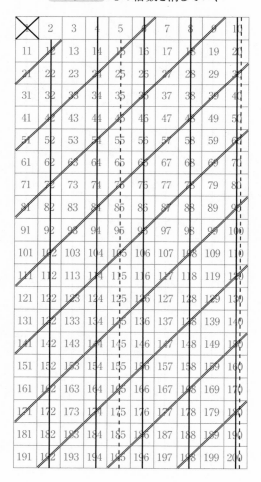

1	2	3	4	5	6	7	8	9	10
11	12	13	14	15	16	17	18	19	20
21	22	23	24	25	26	27	28	29	30
31	32	33	34	35	36	37	38	39	40
41	42	43	44	45	46	47	48	49	50
51	52	53	54	55	56	57	58	59	60
61	62	63	64	65	66	67	68	69	70
71	72	73	74	75	76	77	78	79	80
81	82	83	84	85	86	87	88	89	90
91	92	93	94	95	96	97	98	99	100
101	102	103	104	105	106	107	108	109	110
111	112	113	114	115	116	117	118	119	120
121	122	123	124	125	126	127	128	129	130
131	132	133	134	135	136	137	138	139	140
141	142	143	144	145	146	147	148	149	150
151	152	153	154	155	156	157	158	159	160
161	162	163	164	165	166	167	168	169	170
171	172	173	174	175	176	177	178	179	180
181	182	183	184	185	186	187	188	189	190
191	192	193	194	195	196	197	198	199	200

ステップ４　7の倍数を消していく

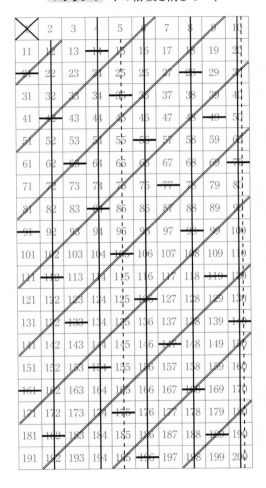

1	2	3	4	5	6	7	8	9	10
11	12	13	14	15	16	17	18	19	20
21	22	23	24	25	26	27	28	29	30
31	32	33	34	35	36	37	38	39	40
41	42	43	44	45	46	47	48	49	50
51	52	53	54	55	56	57	58	59	60
61	62	63	64	65	66	67	68	69	70
71	72	73	74	75	76	77	78	79	80
81	82	83	84	85	86	87	88	89	90
91	92	93	94	95	96	97	98	99	100
101	102	103	104	105	106	107	108	109	110
111	112	113	114	115	116	117	118	119	120
121	122	123	124	125	126	127	128	129	130
131	132	133	134	135	136	137	138	139	140
141	142	143	144	145	146	147	148	149	150
151	152	153	154	155	156	157	158	159	160
161	162	163	164	165	166	167	168	169	170
171	172	173	174	175	176	177	178	179	180
181	182	183	184	185	186	187	188	189	190
191	192	193	194	195	196	197	198	199	200

ステップ5 11の倍数を消していく

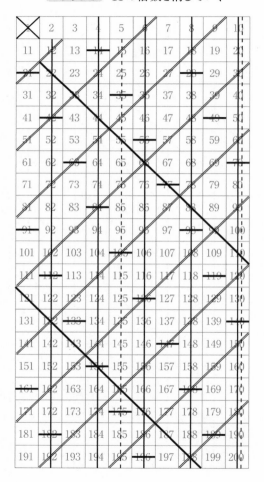

1	2	3	4	5	6	7	8	9	10
11	12	13	14	15	16	17	18	19	20
21	22	23	24	25	26	27	28	29	30
31	32	33	34	35	36	37	38	39	40
41	42	43	44	45	46	47	48	49	50
51	52	53	54	55	56	57	58	59	60
61	62	63	64	65	66	67	68	69	70
71	72	73	74	75	76	77	78	79	80
81	82	83	84	85	86	87	88	89	90
91	92	93	94	95	96	97	98	99	100
101	102	103	104	105	106	107	108	109	110
111	112	113	114	115	116	117	118	119	120
121	122	123	124	125	126	127	128	129	130
131	132	133	134	135	136	137	138	139	140
141	142	143	144	145	146	147	148	149	150
151	152	153	154	155	156	157	158	159	160
161	162	163	164	165	166	167	168	169	170
171	172	173	174	175	176	177	178	179	180
181	182	183	184	185	186	187	188	189	190
191	192	193	194	195	196	197	198	199	200

ステップ6　13の倍数を消していく

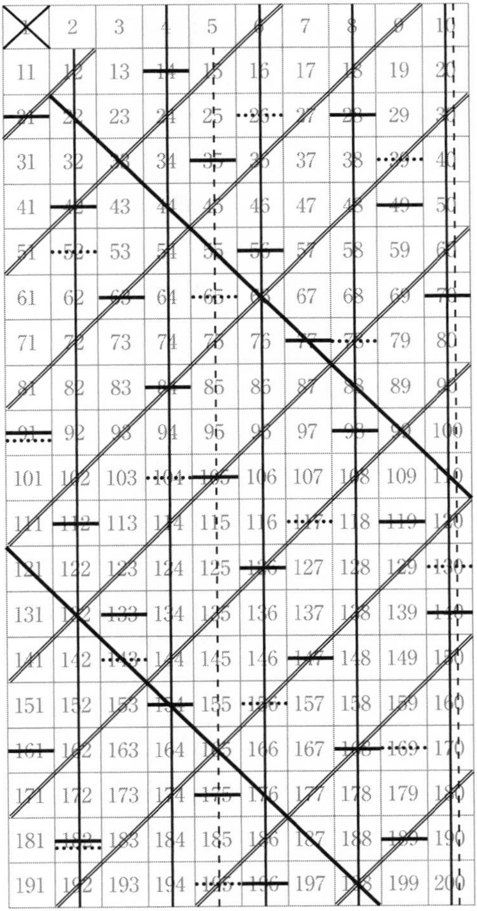

6段階の各ステップで消されていない最小の数は素数である。つまり，2, 3, 5, 7, 11, 13がまず素数として見つかる。

「初めて消される最小の数」に注目しよう

次に，各ステップで初めて消される最小の数に注目してみよう。

3の倍数のときは9で，5のときは25，7のときは49である。つまり，$3^2 = 9$，$5^2 = 25$，$7^2 = 49$である。

7^2は7未満の素数では割ることができず，また，$7^2 = 49$未満の合成数は7未満の素因数をもつ。なぜなら，7以上の素因数を2つもてば，その数は$7^2 = 49$以上となるからである。

よって，3と5の倍数を消した時点で，49未満で消されていない数は素数であるといえる。つまり，7, 11, 13, 17, 19, 23, 29, 31, 37, 41, 43, 47は素数といえる。

7の次の素数は11であり，ステップ5で$11^2 = 121$が初めて消される最小の数である。すなわち，2, 3, 5, 7で割り切れるかどうかをみれば，120以下の数で新たに消される数はない。よって，2, 3, 5, 7で割り切れるかどうかのみで，120以下の素数を決定することができる。

11の次の素数は13で，ステップ6で$13^2 = 169$が初めて消される最小の数である。その次は，$17^2 = 289$が初めて消される最小の数である。したがって，13より大きい素数で消しても，200までで新たに消される数は存在しない。

「倍数を消す素数」「初めて消される最小の数」「素数を決められる数」をまとめた表を次に示す。

素数	2	3	5	7	11	13	17	19	23
素数の2乗：初めて消される最小の数	4	9	25	49	121	169	289	361	529
素数を決められる数	8以下	24	48	120	168	288	360	528	$29^2-1=840$

このように，小さい素数の倍数を順に消していき，残った数から素数を見つけ出す方法を，「エラトステネスの篩(ふるい)」という。中学数学の教科書にも，エラトステネスの篩が紹介されていることは多い。

(!) エラトステネスの篩を実際におこなってみると，100未満の自然数に対しては2，3，5，7の倍数でなければ素数と判定できることに気づく。

2.3　「数の並び」を変えて素数を見つめ直す

前節のステップ1〜6に示したような，1行に10個ずつ数が並ぶ表では，素数は不規則に出てくる印象を受ける。1行に並べる数を2個，3個などと変えてみると，その印象は変わるだろうか。具体的に確かめてみよう。

このように，視点や着想を変えて具体的に確かめてみることも，数に対する感覚を鋭くするための近道だ。

たとえば，1行に並べる数を2〜6個に変えた表を作ってみると何が見えてくるだろうか。

1行に2個の数を並べる場合

1	2
3	4
5	6
7	8
9	10
11	12
13	14
15	16
17	18
19	20
21	22
23	24
25	26
27	28
29	30
31	32
33	34
35	36
37	38
39	40
41	42
43	44
45	46
47	48
49	50
51	52
53	54
55	56
57	58
59	60
61	62
63	64
65	66
67	68
69	70
71	72
73	74

75	76
77	78
79	80
81	82
83	84
85	86
87	88
89	90
91	92
93	94
95	96
97	98
99	100
101	102
103	104
105	106
107	108
109	110
111	112
113	114
115	116
117	118
119	120
121	122
123	124
125	126
127	128
129	130
131	132
133	134
135	136
137	138
139	140
141	142
143	144
145	146
147	148

149	150
151	152
153	154
155	156
157	158
159	160
161	162
163	164
165	166
167	168
169	170
171	172
173	174
175	176
177	178
179	180
181	182
183	184
185	186
187	188
189	190
191	192
193	194
195	196
197	198
199	200

1行に3個の数を並べる場合

1	2	3
4	5	6
7	8	9
10	11	12
13	14	15
16	17	18
19	20	21
22	23	24
25	26	27
28	29	30
31	32	33
34	35	36
37	38	39
40	41	42
43	44	45
46	47	48
49	50	51
52	53	54
55	56	57
58	59	60
61	62	63
64	65	66
67	68	69
70	71	72
73	74	75
76	77	78
79	80	81
82	83	84
85	86	87
88	89	90
91	92	93
94	95	96
97	98	99
100	101	102
103	104	105
106	107	108
109	110	111

112	113	114
115	116	117
118	119	120
121	122	123
124	125	126
127	128	129
130	131	132
133	134	135
136	137	138
139	140	141
142	143	144
145	146	147
148	149	150
151	152	153
154	155	156
157	158	159
160	161	162
163	164	165
166	167	168
169	170	171
172	173	174
175	176	177
178	179	180
181	182	183
184	185	186
187	188	189
190	191	192
193	194	195
196	197	198
199	200	201

1行に4個の数を並べる場合

1	2	3	4
5	6	7	8
9	10	11	12
13	14	15	16
17	18	19	20
21	22	23	24
25	26	27	28
29	30	31	32
33	34	35	36
37	38	39	40
41	42	43	44
45	46	47	48
49	50	51	52
53	54	55	56
57	58	59	60
61	62	63	64
65	66	67	68
69	70	71	72
73	74	75	76
77	78	79	80
81	82	83	84
85	86	87	88
89	90	91	92
93	94	95	96
97	98	99	100
101	102	103	104
105	106	107	108
109	110	111	112
113	114	115	116
117	118	119	120
121	122	123	124
125	126	127	128
129	130	131	132
133	134	135	136
137	138	139	140
141	142	143	144
145	146	147	148

149	150	151	152
153	154	155	156
157	158	159	160
161	162	163	164
165	166	167	168
169	170	171	172
173	174	175	176
177	178	179	180
181	182	183	184
185	186	187	188
189	190	191	192
193	194	195	196
197	198	199	200

1行に5個の数を並べる場合

1	2	3	4	5
6	7	8	9	10
11	12	13	14	15
16	17	18	19	20
21	22	23	24	25
26	27	28	29	30
31	32	33	34	35
36	37	38	39	40
41	42	43	44	45
46	47	48	49	50
51	52	53	54	55
56	57	58	59	60
61	62	63	64	65
66	67	68	69	70
71	72	73	74	75
76	77	78	79	80
81	82	83	84	85
86	87	88	89	90
91	92	93	94	95
96	97	98	99	100
101	102	103	104	105
106	107	108	109	110
111	112	113	114	115
116	117	118	119	120
121	122	123	124	125
126	127	128	129	130
131	132	133	134	135
136	137	138	139	140
141	142	143	144	145
146	147	148	149	150
151	152	153	154	155
156	157	158	159	160
161	162	163	164	165
166	167	168	169	170
171	172	173	174	175
176	177	178	179	180
181	182	183	184	185
186	187	188	189	190
191	192	193	194	195
196	197	198	199	200

1行に6個の数を並べる場合

1	2	3	4	5	6
7	8	9	10	11	12
13	14	15	16	17	18
19	20	21	22	23	24
25	26	27	28	29	30
31	32	33	34	35	36
37	38	39	40	41	42
43	44	45	46	47	48
49	50	51	52	53	54
55	56	57	58	59	60
61	62	63	64	65	66
67	68	69	70	71	72
73	74	75	76	77	78
79	80	81	82	83	84
85	86	87	88	89	90
91	92	93	94	95	96
97	98	99	100	101	102
103	104	105	106	107	108
109	110	111	112	113	114
115	116	117	118	119	120
121	122	123	124	125	126
127	128	129	130	131	132
133	134	135	136	137	138
139	140	141	142	143	144
145	146	147	148	149	150
151	152	153	154	155	156
157	158	159	160	161	162
163	164	165	166	167	168
169	170	171	172	173	174
175	176	177	178	179	180
181	182	183	184	185	186
187	188	189	190	191	192
193	194	195	196	197	198
199	200	201	202	203	204

1行に6個の数を並べた表をみてみよう（前ページの右側の表参照）。この表には，どんな特徴があるだろうか？

じつは，6で割った余りが1, 2, 3, 4, 5, 0の列が並んでいることに気づく。そして素数は，2, 3, 5が現れる1行目の例外を除くと，1と5の下に続く2列にしか現れていない。なぜだろうか？

その理由は，2列目の数は2を，3列目の数は3を，4列目は2を，6列目は2と3を素因数にもつからだ。

このように，数の並びを変えることで，素数の候補をしぼることができる。

4や6のような合成数を列数にすると，素数が出てくる列は限られる。

4のときは，素数が縦に2個並ぶところがいくつか見られる。そして，最初の3, 7, 11を除くと，素数が縦に3個並ぶことはない。なぜなら，縦に3個並ぶ数のうち，必ず1つは3の倍数となるからである。

6のときは，素数が縦に4個並ぶところがいくつか見られる。同様に，5, 11, 17, 23, 29以外は，素数が縦に5個並ぶことはない。

「ウラムらせん」とはなにか

前項で確かめたものとは異なる数の並べ方として，「ウラムらせん」が知られている。表の中心に1を置き，その周囲にうずまき状に数を並べたもので，数学者のスタニスワフ・ウラム（1909～1984）によって1963年に発見された。

ウラムらせんで素数に印をつけると，何が見えてくるだろうか。素数にアミをかけた次の表を見てほしい。

256	255	254	253	252	251	250	249	248	247	246	245	244	243	242	241
197	196	195	194	193	192	191	190	189	188	187	186	185	184	183	240
198	145	144	143	142	141	140	139	138	137	136	135	134	133	182	239
199	146	101	100	99	98	97	96	95	94	93	92	91	132	181	238
200	147	102	65	64	63	62	61	60	59	58	57	90	131	180	237
201	148	103	66	37	36	35	34	33	32	31	56	89	130	179	236
202	149	104	67	38	17	16	15	14	13	30	55	88	129	178	235
203	150	105	68	39	18	5	4	3	12	29	54	87	128	177	234
204	151	106	69	40	19	6	1	2	11	28	53	86	127	176	233
205	152	107	70	41	20	7	8	9	10	27	52	85	126	175	232
206	153	108	71	42	21	22	23	24	25	26	51	84	125	174	231
207	154	109	72	43	44	45	46	47	48	49	50	83	124	173	230
208	155	110	73	74	75	76	77	78	79	80	81	82	123	172	229
209	156	111	112	113	114	115	116	117	118	119	120	121	122	171	228
210	157	158	159	160	161	162	163	164	165	166	167	168	169	170	227
211	212	213	214	215	216	217	218	219	220	221	222	223	224	225	226

放射線状に素数が並ぶようすを確認できる。

40000までの素数を黒くしたウラムのらせんが，次の図である。

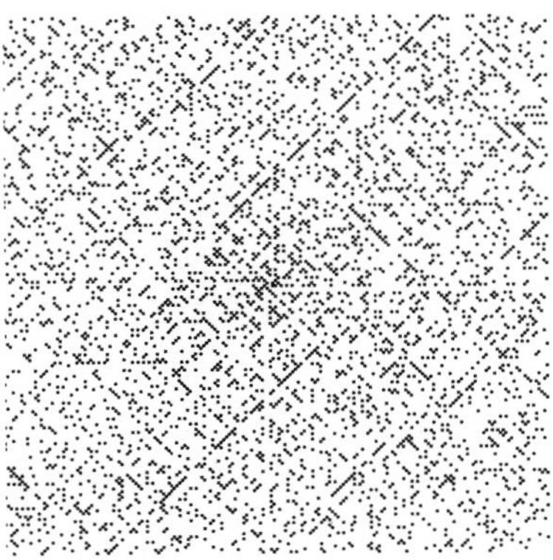

ところどころに，縦・横・斜めに直線上に並んだ箇所が現れ，これまでの並び方とはまた異なる素数の表情を窺うことができる。

① **素数そのものに変化はなくても，「並べ方」を変えるだけで，見えてくる性質が違ってくる。自分なりの並べ方を探究してみよう。**

2.4 ディリクレの定理

じつは，下1桁が1である素数は無限に存在することが示されている。どのようにして示されるのだろうか。

一般に，次のディリクレの定理が知られている。

ディリクレの定理
aとbの最大公約数が1であるとき，
$an+b$（nは自然数）の形をした素数は無限に存在する。

10と1の最大公約数は1なので，$a=10$，$b=1$として，$10n+1$の形をした素数は無限に存在する。同様にして，下1桁が3, 7, 9の素数も無限に存在する。

この定理から，4で割って1余る素数（$4n+1$の形をした素数），4で割って3余る素数（$4n+3$の形をした素数），6で割って1余る素数（$6n+1$の形をした素数），6で割って5余る素数（$6n+5$の形をした素数）なども無限に存在することがいえる。

前節の表で，3個ずつ数を並べた表では，1, 2の列に無限に素数が出てくる。4個ずつ数を並べた表では，1, 3の列に無限に素数が出てくる。5個ずつ並べた表では，1, 2, 3, 4の列に無限に素数が出てくる。

2.5　1300までの素数

次章で月日を数と見なして考察するので，ここでは1300までの素数をながめてみよう。

2	3	5	7	11	13	17	19	23	29
31	37	41	43	47	53	59	61	67	71
73	79	83	89	97	101	103	107	109	113
127	131	137	139	149	151	157	163	167	173
179	181	191	193	197	199	211	223	227	229
233	239	241	251	257	263	269	271	277	281
283	293	307	311	313	317	331	337	347	349
353	359	367	373	379	383	389	397	401	409
419	421	431	433	439	443	449	457	461	463
467	479	487	491	499	503	509	521	523	541
547	557	563	569	571	577	587	593	599	601
607	613	617	619	631	641	643	647	653	659
661	673	677	683	691	701	709	719	727	733
739	743	751	757	761	769	773	787	797	809
811	821	823	827	829	839	853	857	859	863
877	881	883	887	907	911	919	929	937	941
947	953	967	971	977	983	991	997	1009	1013
1019	1021	1031	1033	1039	1049	1051	1061	1063	1069
1087	1091	1093	1097	1103	1109	1117	1123	1129	1151
1153	1163	1171	1181	1187	1193	1201	1213	1217	1223
1229	1231	1237	1249	1259	1277	1279	1283	1289	1291
1297									

合成数が続くところ

自然数の中で素数が連続して現れるのは，2と3のみである。

一方，合成数なら，8, 9, 10や24, 25, 26, 27, 28など長く続くところがある。200までの自然数で合成数が最も続いているのは，114から126までの13個である。

これらの数を素因数分解してみると，

$$114 = 2 \times 3 \times 19,\ 115 = 5 \times 23,$$
$$116 = 2^2 \times 29,\ 117 = 3^2 \times 13,$$
$$118 = 2 \times 59,\ 119 = 7 \times 17,$$
$$120 = 2^3 \times 3 \times 5,\ 121 = 11^2,\ 122 = 2 \times 61,$$
$$123 = 3 \times 41,\ 124 = 2^2 \times 31,\ 125 = 5^3,$$
$$126 = 2 \times 3^2 \times 7$$

である。

それでは，もっとずっと長く合成数が続くところはあるだろうか？　言い換えると，「素数の間隔」がとても広いところはあるだろうか。

じつは，合成数が連続する数を作り出す方法がある。

$$2 \times 3 \times 4 \times 5 + 2,\ 2 \times 3 \times 4 \times 5 + 3,$$
$$2 \times 3 \times 4 \times 5 + 4,\ 2 \times 3 \times 4 \times 5 + 5$$

は，順に2, 3, 4, 5を約数にもつことがわかる。次に，

$$2\times3\times4\times5\times6+2,\ 2\times3\times4\times5\times6+3,$$
$$2\times3\times4\times5\times6+4,\ 2\times3\times4\times5\times6+5,$$
$$2\times3\times4\times5\times6+6$$

は，順に 2, 3, 4, 5, 6 を約数にもつことがわかる。このように考えると，

$$2\times3\times\cdots\times652+2,\ 2\times3\times\cdots\times652+3,\ \cdots,$$
$$2\times3\times\cdots\times652+652$$

までの連続した 651 個の数は，順に 2, 3, …, 652 を約数にもつので，651 個の合成数が続いている。このように，いくらでも長く合成数が続くところがある。

ちなみに，$2\times3\times\cdots\times652$ は，10^{1553} より大きい数である。実際には，この数の作り方で見つかるよりはるかに小さい，

2614941710600, 2614941710601, … , 2614941711250

で，651 個の合成数が続く。最初の数は，2 兆 6149 億 4171 万 600 である。これを小さい数であると思うか，大きい数であると思うかは難しいところである。

(!) 合成数が続くところは，いくらでも長いものが存在する。

素数が「等間隔で並ぶ」列

素数の中に，「差が一定」の数の列（等差数列）はどれくらい存在するだろうか。

たとえば，11 から 30 ずつ足す列は，11, 41, 71, 101, 131 と 5 つの素数が続く。1300 までの自然数の中に 6 つの素数

が続く列があるので見つけてみよう。

7, 37, 67, 97, 127, 157 や 359, 389, 419, 449, 479, 509 と6つの素数が続くところが見つかるはずだ。ちなみに，7つの素数が続く列は1つだけである。

6つ続けるには，その差は最小で30必要となる。なぜなら，30の約数には1, 2, 3, 5が含まれているからである。約数に5が含まれていないと，5個続けると，その中に5の倍数が含まれる。7, 37, 67, 97, 127, 157の余りを表にまとめる。

	7	37	67	97	127	157
2で割った余り	1	1	1	1	1	1
3で割った余り	1	1	1	1	1	1
5で割った余り	2	2	2	2	2	2
7で割った余り	0	2	4	6	1	3

30を7で割った余りは30 ÷ 7の余りが2なので，7で割った余りは2ずつ増える。6 + 2 = 8で，8 ÷ 7の余りが1なので，6の次は1である。187は7で割ると余りが5で割り切れないので，7つ続く可能性があるが，187 = 11 × 17なので，素数ではない。

次に359, 389, 419, 449, 479, 509の余りを表にまとめる。

	359	389	419	449	479	509
2で割った余り	1	1	1	1	1	1
3で割った余り	2	2	2	2	2	2
5で割った余り	4	4	4	4	4	4
7で割った余り	2	4	6	1	3	5

539は7で割り切れるので素数ではない。このように，7以外の素数から始めて，差が30の倍数の数列は6つまでしか続かない。また，差が30の6つ続く数列を探すには，7で割った余りが2の素数から始める必要がある。

7で割った余りを変えないためには，差が2, 3, 5, 7を約数に含む210の列を考える必要があるが，それは1300までに見つからない。

よって，1300までの素数の中から7つの素数が続く列を探すには，7から始める必要がある。また，187は素数ではないので，30の倍数であり，180の約数でない差を考えるべきである。

差を150にとると，7, 157, 307, 457, 607, 757, 907が見つかる。そして，1057 = 7 × 151である。

一般に，次の大定理が2004年に2人の数学者，ベン・グリーン（1977〜）とテレンス・タオ（1975〜）によって示されている。

グリーン・タオの定理

どんな長さの素数だけの等差数列も存在する。

第3章

「素数」の探究で磨く〈その2〉

この章では，特徴的な形をした素数や素数の組に注目する。また，たとえば4月3日を「403」のような数と見立て，月日の中に素数を探っていく。

あらためて1300までの素数をながめてみよう（49ページ参照）。さまざまに面白い形をした素数があることに気づくはずだ。

特徴的な素数には名前がついていて，その性質やふるまいに関する研究が進められている。このような素数を見ていこう。

この章のポイントは，次の3つである。

- **3と5，5と7，11と13のように，差が2の素数を探してみよう。**
- **11，101，131，151，181，191，313は，左から読んでも右から読んでも同じ数で，かつ素数である。このような素数は無限にあるだろうか。**
- **素数13は，右から読むと31でこちらも素数であり，389と983もどちらから読んでも素数である。このような素数は無限にあるだろうか。**

3.1 双子素数

合成数は連続することがあるが，素数が連続するのは２と３だけである。連続する２つの数の一方は必ず偶数なので，２と３以外に素数が連続することはない。すなわち，差が１の素数はこの１組だけである。

そこで，差が２の素数を考えると，３と５，５と７，11と13のように，素数の組が見つかる。このような組を双子素数とよぶ。双子素数がいくらでもあるかというのは数学上の未解決の難題であり，「双子素数予想」といわれている。

未解決問題　双子素数は無数に存在するか。

500未満の双子の素数は，

3, 5	5, 7	11, 13	17, 19	29, 31
41, 43	59, 61	71, 73	101, 103	
107, 109	137, 139	149, 151	179, 181	
191, 193	197, 199	227, 229	239, 241	
269, 271	281, 283	311, 313	347, 349	
419, 421	431, 433	461, 463		

のみである。

100未満には８組あり，100以上200未満には７組，200以上300未満には４組，300以上400未満には２組，400以上500未満には３組と，だんだん少なくなっている。

数が大きくなると，素数の割合が低くなるため，双子素数はいずれなくなってしまうかもしれないし，稀(まれ)ではあっても現れ続けるかもしれない。この研究は近年，大きな進展を見せており，双子素数予想は近い将来に解決するかもしれない。

3.2 「回文素数」と「エマープ」

151, 373 はどちらも，右から読んでも左から読んでも同じ数であり，なおかつ素数である。右から読んでも左から読んでも同じ数を「回文数」といい，かつ素数であるものを「回文素数」という。

1 桁の回文素数は，2, 3, 5, 7 の 4 つである。

2 桁の回文素数は，11 のみである。ちなみに，2 桁の他のぞろ目の数は 11 の倍数である（22 は 11 の 2 倍，33 は 11 の 3 倍といったように）。

3 桁の回文素数は，101, 131, 151, 181, 191, 313, 353, 373, 383, 727, 757, 787, 797, 919, 929 の 15 個である。

そして，次の問題は未解決問題である。

未解決問題　回文素数は無限に存在するか。

「エマープ」とはなにか

13, 31 は，10 の位と 1 の位の数を入れ替えても素数である素数の組である。このような組を「エマープ（emirp）」という。

素数は英語で「prime number」というが，「prime」の綴りを逆さにすることで，エマープの成り立ちを示す造語である。同様の発想から，日本では「数素」と表す本もある。

2 桁のエマープは，11，13 と 31，17 と 71，37 と 73，79 と 97 の 5 組である。

3桁では，

101，107，113，131，149，151，157，167，179，
181，191，199，311，313，337，347，353，359，
373，383，389，701，709，727，733，739，743，
751，757，761，769，787，797，907，919，929，
937，941，953，967，971，983，991

がある。次の問題もまた，未解決問題である。

未解決問題　エマープは無限に存在するか。

(!) 数字の並びの対称性に着目しても，素数には未解決の問題が残っている。回文素数が無限に存在すれば，エマープも無限に存在する。

3.3 レピュニット数

11は素数だが，111は3 × 37で合成数である。

このように，1がn個並んだ自然数を「レピュニット数」という。1という単位（unit）が繰り返されるという意味の「repeated unit」からの略称である。

次ページの表は，1が並んだ自然数（レピュニット数）と，その素因数分解を示したものである。

表を上から見ていくと，3桁以降はすべて合成数かとも思えるが，1が19個並んだ数で素数が現れる。

また，偶数桁のレピュニット数はすべて11の倍数であり，3の倍数桁は3と37の倍数，5の倍数桁は41と271の倍数であると示せるため，素数は現れなくなりそうである。

次の問題も未解決である。

桁	数	素因数分解
1	1	1
2	11	11
3	111	3×37
4	1111	11×101
5	11111	41×271
6	111111	$3\times7\times11\times13\times37$
7	1111111	239×4649
8	11111111	$11\times73\times101\times137$
9	111111111	$3^2\times37\times333667$
10	1111111111	$11\times41\times271\times9091$
11	11111111111	21649×513239
12	111111111111	$3\times7\times11\times13\times37\times101\times9901$
13	1111111111111	$53\times79\times265371653$
14	11111111111111	$11\times239\times4649\times909091$
15	111111111111111	$3\times31\times37\times41\times271\times2906161$
16	1111111111111111	$11\times17\times73\times101\times137\times5882353$
17	11111111111111111	2071723×5363222357
18	111111111111111111	$3^2\times7\times11\times13\times19\times37\times52579\times333667$
19	1111111111111111111	1111111111111111111
20	11111111111111111111	$11\times41\times101\times271\times3541\times9091\times27961$

未解決問題

レピュニット数の中に，素数は無限に存在するか。

表から予想がつくように，1を合成数個並べた数は合成数である。したがって，素数のレピュニット数の候補は，1を素数個並べたものに絞られる。

① 1を並べた数だけについて考えても，素数にはわからないことがある。他にもふしぎな素数がないか，探究してみてほしい。

3.4 素な素数

311，317 などの素数には，面白い性質がある。

317 の右側から順に数を落としていくと 31，3 となるが，これらすべてが素数なのである。このような数を「素な素数」という。素な素数は有限個であり，次の表のように 27 個であることがわかっている。

53	317	599	797	2393	3793
3797	7331	23333	23339	31193	31379
37397	73331	373393	593993	719333	739397
739399	239933	7393931	7393933	23399339	29399999
37337999	59393339	73939133			

最大の素な素数は 73939133 である。この数の右に１から９のどの数を加えても，合成数になる。73939133 が素な素数なので，右から１つ数を落とした 7393913 も素な素数である。上の表では，大きい素な素数に含まれる素な素数は含めていない。

また，落とす数を右側ではなく左側にすると，

357686312646216567629137

が最大な数として知られている。

次に，右から１個ずつではなく，２個ずつ落とすものを考えてみよう。72701 は素数で，右から２つの数を落としていった 727，７も素数である。少し定義を変えると，新たな世界が見えてくるのが数の面白いところである。

(!) n桁の素な素数が存在しないと$n+1$桁の素な素数は存在しないので，素な素数は有限個のみしか存在しない。具

体例から一般化する思考のクセを身につけよう。

3.5 身近な月日に素数を探す

車のナンバーやマンションの部屋番号，住所表記の番地，年月日や時刻など，身近にはさまざまな数字があふれている。ここでは，月日に注目してみよう。

3月3日を「303」, 4月3日を「403」, 11月14日を「1114」のように見立てると，どの日が素数になるだろうか？　たとえば，あなたの誕生日は素数だろうか？　祝日に素数はあるか？　連続する素数の日はあるか？　……といった疑問が生じてくる。

まず，素数の日を月ごとに見ていこう。

1月　7日

101	102	103	104	105	106	107
108	109	110	111	112	113	114
115	116	117	118	119	120	121
122	123	124	125	126	127	128
129	130	131				

2月　3日(うるう年は4日)

201	202	203	204	205	206	207
208	209	210	211	212	213	214
215	216	217	218	219	220	221
222	223	224	225	226	227	228
229						

3月　5日

301	302	303	304	305	306	307
308	309	310	311	312	313	314
315	316	317	318	319	320	321
322	323	324	325	326	327	328
329	330	331				

4月　4日

401	402	403	404	405	406	407
408	409	410	411	412	413	414
415	416	417	418	419	420	421
422	423	424	425	426	427	428
429	430					

5月　4日

501	502	503	504	505	506	507
508	509	510	511	512	513	514
515	516	517	518	519	520	521
522	523	524	525	526	527	528
529	530	531				

6月　5日

601	602	603	604	605	606	607
608	609	610	611	612	613	614
615	616	617	618	619	620	621
622	623	624	625	626	627	628
629	630					

7月　4日

701	702	703	704	705	706	707
708	709	710	711	712	713	714
715	716	717	718	719	720	721
722	723	724	725	726	727	728
729	730	731				

8月　6日

801	802	803	804	805	806	807
808	809	810	811	812	813	814
815	816	817	818	819	820	821
822	823	824	825	826	827	828
829	830	831				

9月　4日

901	902	903	904	905	906	907
908	909	910	911	912	913	914
915	916	917	918	919	920	921
922	923	924	925	926	927	928
929	930					

10月　5日

1001	1002	1003	1004	1005	1006	1007
1008	1009	1010	1011	1012	1013	1014
1015	1016	1017	1018	1019	1020	1021
1022	1023	1024	1025	1026	1027	1028
1029	1030	1031				

11月　5日

1101	1102	1103	1104	1105	1106	1107
1108	1109	1110	1111	1112	1113	1114
1115	1116	1117	1118	1119	1120	1121
1122	1123	1124	1125	1126	1127	1128
1129	1130					

12月　6日

1201	1202	1203	1204	1205	1206	1207
1208	1209	1210	1211	1212	1213	1214
1215	1216	1217	1218	1219	1220	1221
1222	1223	1224	1225	1226	1227	1228
1229	1230	1231				

素数の日

365日のうち，素数の日は58日である。うるう年では，2月29日（229）が素数なので，59日となる。およそ6日に1日が素数の日である。

2024年の祝日をまとめた次の表を見てみよう。

元日	101	素数
成人の日	108（第2月曜）	合成数
建国記念の日	211	素数
天皇誕生日	223	素数
春分の日	320（年による）	合成数
昭和の日	429	合成数
憲法記念日	503	素数
みどりの日	504	合成数
こどもの日	505	合成数
海の日	715（第3月曜）	合成数
山の日	811	素数
敬老の日	916（第3月曜）	合成数
秋分の日	922（年による）	合成数
スポーツの日	1014（第2月曜）	合成数
文化の日	1103	素数
勤労感謝の日	1123	素数

面白いことに，建国記念の日（211）と天皇誕生日（223）はともに素数であり，連続する素数である。全体では7個が素数で，9個が合成数であり，かなり高確率で祝日は素数の日である。

ただし，年によって日が変わる祝日も多くあるので，素数の日のほうが多い年もあるかもしれない。

年と年度をまたぐ日

素数の日が連続することはあるだろうか？

2を除く偶数は合成数なので，月をまたぐ部分しかありえない。大晦日（1231）と元日（101）はともに素数で，連続する素数の日である。また，3月31日（331）と4月1日（401）もともに素数で，連続する素数の日である。

このように素数の日が連続するのはこの2組だけである。年と年度をまたぐ両日だけが素数続きとは美しい。

(!) ある数が素数であるかどうかの判定は，特に数が大きくなるほど容易ではないが，日常に見られる数が素数かどうかを確かめてみると，面白い現象に気づくことがある。

(!) 合成数であれば，素因数分解してみると何かが見えてくるかもしれない。数の「おおもと」である素数を意識すること——これが「数のセンス」を磨く重要な一歩となる。

第4章 「2乗した数」の探究で磨く

中学1年生では，数の新たな表現として「指数」を学ぶ。さまざまな数を2乗したり3乗したり，すなわち累乗をとることで，数の新たな性質やふるまいを知ることができる。

この章では，2乗した数（平方数）に着目してみよう。ポイントは，次の3つである。九九表で養ったセンスを生かして，トライしてみよう。

- **2乗した数の表の「対称性」を探してみよう。**
- **2乗した数の表に出てくる「数字の規則性」を見つけてみよう。**
- **もとの数と2乗した数とのあいだに「面白い関係」はないか探ってみよう。**

4.1 「数の並び」を探究する

まず，1から100までの数を2乗した数（平方数）を表にしてみよう。

1^2	2^2	3^2	4^2	5^2	6^2	7^2	8^2	9^2	10^2
1	4	9	16	25	36	49	64	81	100
11^2	12^2	13^2	14^2	15^2	16^2	17^2	18^2	19^2	20^2
121	144	169	196	225	256	289	324	361	400
21^2	22^2	23^2	24^2	25^2	26^2	27^2	28^2	29^2	30^2
441	484	529	576	625	676	729	784	841	900
31^2	32^2	33^2	34^2	35^2	36^2	37^2	38^2	39^2	40^2
961	1024	1089	1156	1225	1296	1369	1444	1521	1600
41^2	42^2	43^2	44^2	45^2	46^2	47^2	48^2	49^2	50^2
1681	1764	1849	1936	2025	2116	2209	2304	2401	2500
51^2	52^2	53^2	54^2	55^2	56^2	57^2	58^2	59^2	60^2
2601	2704	2809	2916	3025	3136	3249	3364	3481	3600
61^2	62^2	63^2	64^2	65^2	66^2	67^2	68^2	69^2	70^2
3721	3844	3969	4096	4225	4356	4489	4624	4761	4900
71^2	72^2	73^2	74^2	75^2	76^2	77^2	78^2	79^2	80^2
5041	5184	5329	5476	5625	5776	5929	6084	6241	6400
81^2	82^2	83^2	84^2	85^2	86^2	87^2	88^2	89^2	90^2
6561	6724	6889	7056	7225	7396	7569	7744	7921	8100
91^2	92^2	93^2	94^2	95^2	96^2	97^2	98^2	99^2	100^2
8281	8464	8649	8836	9025	9216	9409	9604	9801	10000

2乗した数の1の位は1, 4, 9, 6と続き，5がきた後は6, 9, 4, 1と，逆順に並んでいる。そして0の後に，ふたたび1, 4, 9, 6と続いていく。

驚くことに，10の位までをみると，もとの数の25を中心に折り返していることに気がつく。24^2と26^2の下2桁は76，23^2と27^2の下2桁は29，22^2と28^2の下2桁は84，21^2と29^2の下2桁は41，20^2と30^2の下2桁は00，19^2と31^2の下2桁は61というように続いていく。

これが単なる偶然でないことは，25を中心に数を見るとわかる。中学3年生で学習する平方の公式「$(a + b)^2 = a^2 + 2ab + b^2$，$(a - b)^2 = a^2 - 2ab + b^2$」を使ってみよう。

$$24^2=(25-1)^2=25^2-2\times25\times1+1^2=625-50+1$$
$$26^2=(25+1)^2=25^2+2\times25\times1+1^2=625+50+1$$

$625-50=575$，$625+50=675$ と，下２桁が等しいものに，ともに１を加えているので，下２桁が等しいのだ。

$$23^2=(25-2)^2=25^2-2\times25\times2+2^2=625-100+4$$
$$27^2=(25+2)^2=25^2+2\times25\times2+2^2=625+100+4$$
$$22^2=(25-3)^2=25^2-2\times25\times3+3^2=625-150+9$$
$$28^2=(25+3)^2=25^2+2\times25\times3+3^2=625+150+9$$

といった具合である。

「予想」を立てて確かめる

“からくり”が見えたことで，下３桁が折り返すところは，下２桁で 25 だったところが 250 になるのではないかと予想がつく。このような予想が立ったら，確かめてみることが大切だ。

実際に，250 の前後を計算してみよう。

246^2	247^2	248^2	249^2	250^2	251^2	252^2	253^2	254^2
60516	61009	61504	62001	62500	63001	63504	64009	64516

$$\begin{aligned}249^2&=(250-1)^2=250^2-2\times250\times1+1^2\\&=62500-500+1\\251^2&=(250+1)^2=250^2+2\times250\times1+1^2\\&=62500+500+1\end{aligned}$$

$62500 - 500 = 62000$，$62500 + 500 = 63000$ と，下 3 桁が等しいものに，ともに 1 を加えているので，下 3 桁が等しい。下 2 桁のときと同様である。

この見方をすれば，$17^2 = 289$ で，$250 + (250 - 17) = 483$ なので，483^2 の下 3 桁は 289 であるとわかる。実際に，$483^2 = 233289$ である。

(!) このように，発見したことの理由を一般に示してみると“からくり”が見え，多くの計算をしなくても下3桁が折り返すところを見つけ出すことができる。

4.2 「下の桁の数」が変わらない数は？

$1^2 = 1$，$5^2 = 25$，$6^2 = 36$，$11^2 = 121$ なので，1，5，6，11 は 2 乗しても 1 の位が変わらない。さらに，$25^2 = 625$ で下 2 桁が変わらない。

下 2 桁が変わらない数は 1 の位が 1，5，6 のいずれかであるので，具体的に探してみよう。なぜなら，2 桁の数の 10 の位を a，1 の位を b とすると，$(10a + b)^2 = 100a^2 + 20ab + b^2 = 10 \times (10a^2 + 2ab) + b^2$ であり，b^2 の 1 の位が 2 桁の数の 1 の位と一致するからである。

11^2	21^2	31^2	41^2	51^2	61^2	71^2	81^2	91^2
121	441	961	1681	2601	3721	5041	6561	8281
15^2	25^2	35^2	45^2	55^2	65^2	75^2	85^2	95^2
225	625	1225	2025	3025	4225	5625	7225	9025
16^2	26^2	36^2	46^2	56^2	66^2	76^2	86^2	96^2
256	676	1296	2116	3136	4356	5776	7396	9216

新たに，$76^2 = 5776$ が見つかる。

3桁の数を計算してみよう。3桁の数の100の位を a，下2桁の数を b とすると，

$$
\begin{aligned}
(100a + b)^2 &= 10000a^2 + 200ab + b^2 \\
&= 100 \times (100a^2 + 2ab) + b^2
\end{aligned}
$$

であり，下2桁の数は b^2 の下2桁と一致する。よって，調べるのは下2桁が25と76の数に限られる。

125^2	225^2	325^2	425^2	525^2	625^2	725^2	825^2	925^2
15625	50625	105625	180625	275625	390625	525625	680625	855625
176^2	276^2	376^2	476^2	576^2	676^2	776^2	876^2	976^2
30976	76176	141376	226576	331776	456976	602176	767376	952576

下3桁が変わらない数，376と625（$376^2 = 141376$，$625^2 = 390625$）が見つかる。

$625 = 25^2$ であるので，$5^2 = 25$，$25^2 = 625$，$625^2 = 390625$ と続いている。さらに，続けると，

$390625^2 = 152587890625$

で，10万の位が3ではなく8となり，ここで下の桁が変わってしまう。

一方，76は1の位が6で共通だが，$6^2 = 36$ とは異なる。また，376は10の位と1の位は76と共通である。

美しい数字の並びが現れる

次に，下3桁が376，または625である4桁の数を計算してみる。

0376^2	1376^2	2376^2	3376^2	4376^2
141376	1893376	5645376	11397376	19149376
5376^2	6376^2	7376^2	8376^2	9376^2
28901376	40653376	54405376	70157376	87909376

0625^2	1625^2	2625^2	3625^2	4625^2
390625	2640625	6890625	13140625	21390625
5625^2	6625^2	7625^2	8625^2	9625^2
31640625	43890625	58140625	74390625	92640625

$9376^2 = 87909376$ が見つかる。625 を 0625 ととらえれば，0625 も下 4 桁が変わらない数である。

次に，9376 と 0625 を下 4 桁にもつ 5 桁の数の 2 乗を計算してみよう。

09376^2	19376^2	29376^2	39376^2	49376^2
87909376	375429376	862949376	1550469376	2437989376
59376^2	69376^2	79376^2	89376^2	99376^2
3525509376	4813029376	6300549376	7988069376	9875589376

00625^2	10625^2	20625^2	30625^2	40625^2
390625	112890625	425390625	937890625	1650390625
50625^2	60625^2	70625^2	80625^2	90625^2
2562890625	3675390625	4987890625	6500390625	8212890625

$09376^2 = 87909376$ と $90625^2 = 8212890625$ が見つかる。

さらに，09376 と 90625 を下 5 桁にもつ 6 桁の数の 2 乗を計算してみよう。

009376^2	109376^2	209376^2	309376^2	409376^2
87909376	11963109376	43838309376	95713509376	167588709376
509376^2	609376^2	709376^2	809376^2	909376^2
259463909376	371339109376	503214309376	655089509376	826964709376

090625^2	190625^2	290625^2	390625^2	490625^2
8212890625	36337890625	84462890625	152587890625	240712890625
590625^2	690625^2	790625^2	890625^2	990625^2
348837890625	476962890625	625087890625	793212890625	981337890625

$109376^2 = 11963109376$ と $890625^2 = 793212890625$ が見つかる。じつは，このような数がずっと続くことが知られている。

現れた数を並べると，何か特徴が見出せるだろうか？

5	25	625	0625	90625	890625	…
6	76	376	9376	09376	109376	…

まず，5 + 6，25 + 76，…といったように，縦に並んだ数を足してみよう。

11	101	1001	10001	100001	1000001	…

なんと，両端に1があり，そのあいだに0が挟まった美しい数字の並びが現れる。

次に，5 × 6，25 × 76，…といったように，縦に並んだ数をかけてみると，

30	1900	235000	5860000	849700000	97413000000	…

いずれの数も下の桁に0が並び，かつ1つずつ0が増えていることが確認できる。

この美しい列は，発見者であるヤコブ・ペレリマン（1882～1942）にちなんで，「ペレリマン数列」とよばれている。ペレリマン数列については，『天に向かって続く数』（加藤文元・中井保行著，日本評論社，2016）が詳しい。

4.3 数を分けて足してみる

$45^2 = 2025$ という数について考えてみよう。

2025 を前後半分に分けて足すと $20 + 25 = 45$ で，もとの数と等しくなる。他にも同様の例として，$55^2 = 3025$（$30 + 25 = 55$）や $99^2 = 9801$（$98 + 1 = 99$）が見つかる。

$100^2 = 10000$ については，下 2 桁で分けて $100 + 00 = 100$ と見るか，下 3 桁で分けて $10 + 000 = 10$ と見るかで，条件を満たすかどうかが変わってくる。$100 + 00 = 100$ と見れば，100 は条件を満たしている。

しかし，「5 桁の数を前 3 桁と後ろ 2 桁に分けて足す」ともとの数と等しくなる，という条件を満たす「2 乗して 5 桁の数になる 3 桁の数」は，100 以外には存在しない。確かめてみよう。

$316^2 = 99856$，$317^2 = 100489$ なので，「2 乗して 5 桁の数になる 3 桁の数」については，316 までを調べればよい。

$101^2 = 10201$ で $102 + 01 = 103$ であり，上 3 桁の数が 101 より大きいので，和が 101 にはならない。$102^2 = 10404$ も同様で，316 までも同じように，もとの数より足した数が大きいので，条件を満たす数は存在しないことがわかる。

一方，条件を「5 桁の数を前 2 桁と後ろ 3 桁に分けて足す」に変えて，$10 + 000 = 10$ とみると，100 は条件を満たさない。しかし，「5 桁の数を前 2 桁と後ろ 3 桁に分けて足す」という条件を満たす「2 乗して 5 桁の数になる 3 桁の数」が 1 つだけ存在する。

みなさんは，$297^2 = 88209$（$88 + 209$）を見つけられただ

ろうか。

2乗して5桁の数になる3桁の数で，分けて足すともとの数と同じになる数

5桁の数を前3桁と後ろ2桁に分けて足す → $100^2 = 10000$（100＋00）

5桁の数を前2桁と後ろ3桁に分けて足す → $297^2 = 88209$（88＋209）

「カプレカ数」とはなにか

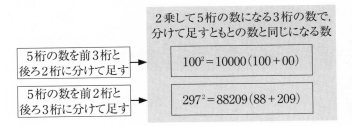

2乗した数が偶数桁の場合は半分に分け，奇数（$2n + 1$）桁の場合は n 桁と $n + 1$ 桁に分けて足す――。このような操作をして得られる数は，「カプレカ数」とよばれている。この名称は，インド人数学者，ダッタトリヤ・ラムチャンドラ・カプレカル（1905～1986）に由来したものである。

カプレカ数は，9（$9^2 = 81$），45（$45^2 = 2025$），55（$55^2 = 3025$），99（$99^2 = 9801$），297（$297^2 = 88209$），703（$703^2 = 494209$），999（$999^2 = 998001$），2223（$2223^2 = 4941729$），2728（$2728^2 = 7441984$）などがある。

$9999^2 = 99980001$，$99999^2 = 9999800001$ なので，$9999 = 9998 + 1$，$99999 = 99998 + 1$ であり，カプレカ数である。

一般に，9が並ぶ数はカプレカ数であることがわかるので，カプレカ数は無限に存在する。

(!) 九九表は2桁までの数なので，数の和をとることで探究を進めた。大きい数の場合は，半分に分けて足すことで，特徴的な数が姿を現す場合がある。数のサイズに応じてとらえ方を変えると，新しい数の性質が見えてくることがある。

第5章 「3,4,5乗した数」の探究で磨く

前章では，2乗した数（平方数）に着目して，その「対称性」や「規則性」を探った。この章では，さらに累乗を進め，3, 4, 5乗した数について考えてみよう。果たして，2乗した数と同じような現象が現れるだろうか。

この章のポイントは，次の3つである。2乗した数と類比しながら見てみよう。

- **3，4，5乗した数の表の「対称性」を探してみよう。**
- **3，4，5乗した数の表に出てくる「数字の規則性」を見つけてみよう。**
- **もとの数と3，4，5乗した数とのあいだに「面白い関係」はないか探ってみよう。**

5.1 3乗した数

まず，3乗した数（立方数）を見ていこう。次の表に，50までの数を3乗した数を示す。

1^3	2^3	3^3	4^3	5^3	6^3	7^3	8^3	9^3	10^3
1	8	27	64	125	216	343	512	729	1000
11^3	12^3	13^3	14^3	15^3	16^3	17^3	18^3	19^3	20^3
1331	1728	2197	2744	3375	4096	4913	5832	6859	8000
21^3	22^3	23^3	24^3	25^3	26^3	27^3	28^3	29^3	30^3
9261	10648	12167	13824	15625	17576	19683	21952	24389	27000
31^3	32^3	33^3	34^3	35^3	36^3	37^3	38^3	39^3	40^3
29791	32768	35937	39304	42875	46656	50653	54872	59319	64000
41^3	42^3	43^3	44^3	45^3	46^3	47^3	48^3	49^3	50^3
68921	74088	79507	85184	91125	97336	103823	110592	117649	125000

2乗と同じような「数の並びの対称性」は見当たらない。

しかし，25を中心に，24^3 と 26^3 の下2桁を足すと，$24 + 76 = 100$ となっている。

さらに，23^3 と 27^3 の下2桁を足すと $67 + 83 = 150$，22^3 と 28^3 の下2桁を足すと $48 + 52 = 100$，21^3 と 29^3 の下2桁を足すと $61 + 89 = 150$，20^3 と 30^3 の下2桁を足すと $00 + 00 = 00$ である。

19^3 と 31^3 の下2桁を足すと $59 + 91 = 150$，18^3 と 32^3 の下2桁を足すと $32 + 68 = 100$ である。

「下の桁の数」が変わらない数を探す

続いて，2乗した数のときと同様に，「下の桁の数」が変わらない数を探してみよう。

1桁では，$1(1^3 = 1)$，$4(4^3 = 64)$，$5(5^3 = 125)$，$6(6^3 = 216)$，$9(9^3 = 729)$ で下の桁の数が変わらない。50までの数では，他に $24(24^3 = 13824)$，$25(25^3 = 15625)$，$49(49^3 = 117649)$ も同様である。

1の位が1, 4, 5, 6, 9で，下の桁の数が変わらない数を100まで調べると，$51(51^3 = 132651)$，$75(75^3 = 421875)$，76

$(76^3 = 438976)$，$99(99^3 = 970299)$ が見つかる。

3 桁の数ではどうか。

$125(125^3 = 1953125)$，$249(249^3 = 15438249)$，
$251(251^3 = 15813251)$，$375(375^3 = 52734375)$，
$376(376^3 = 53157376)$，$499(499^3 = 124251499)$，
$501(501^3 = 125751501)$，$624(624^3 = 242970624)$，
$625(625^3 = 244140625)$，$749(749^3 = 420189749)$，
$751(751^3 = 423564751)$，$875(875^3 = 669921875)$，
$999(999^3 = 997002999)$ が見つかる。

これらの数を表にまとめてみよう。

24	25	49	51	75	76	99
125	249	251	375	376	499	
501	624	625	749	751	875	999

25，76，376，625 は 2 乗のときと同様である。なぜだろうか？　理由を考えてみよう。

$$25^3 = 25^2 \times 25 = 625 \times 25 = (600 + 25) \times 25$$
$$= 600 \times 25 + 25^2$$
$$76^3 = 76^2 \times 76 = 5776 \times 76 = (5700 + 76) \times 76$$
$$= 5700 \times 76 + 76^2$$
$$376^3 = 376^2 \times 376 = 141376 \times 376 = (141000 + 376) \times 376$$
$$= 141000 \times 376 + 376^2$$
$$625^3 = 625^2 \times 625 = 390625 \times 625 = (390000 + 625) \times 625$$
$$= 390000 \times 625 + 625^2$$

最後の項で，下 2 桁と下 3 桁の数が決まるので，それぞれの数が変わらないことがわかる。この見方は，桁が増え

ても同様に続けられるので，2乗のときに下の桁が変わらない数は，3乗しても下の桁が変わらないことがわかる。よって，どこまででも続く数が存在することがわかる。

「＝100」となる理由

別の点に着目すると，99以外は，24 + 76 = 100，25 + 75 = 100，49 + 51 = 100で，「数の並びの対称性」が成り立っている。1を01と考えれば，1でも成り立ち，1 + 99 = 100と考えられる。

3桁でも同様に，999以外は1000になる組を作ることができる。

その理由を探るには高校で学ぶ公式を使う必要があるのだが，ここで簡単に触れておこう。

「$(a+b)^3 = a^3 + 3a^2b + 3ab^2 + b^3$」を使うと，

$$\begin{aligned} 51^3 &= \{100 + (-49)\}^3 \\ &= 100^3 + 3 \times 100^2 \times (-49) + 3 \times 100 \times (-49)^2 + (-49)^3 \\ &= \{100^2 + 3 \times 100 \times (-49) + 3 \times (-49)^2\} \times 100 - 49^3 \end{aligned}$$

なので，下2桁が00のものから49を引いた数が下2桁の数なので，51であるとわかる。

4桁の数では？

3桁に続いて，4桁でも同じように続くかを確かめてみよう。条件を変えたときに現象がどう変わるかを確認するのも，「数のセンス」を磨くための重要なステップだ。

たとえば，125に続く数を計算してみよう。

0125^3	1125^3	2125^3	3125^3	4125^3
1953125	1423828125	9595703125	30517578125	70189453125
5125^3	6125^3	7125^3	8125^3	9125^3
134611328125	229783203125	361705078125	536376953125	759798828125

表からわかるように，下4桁が変わらない数は存在しない。

いろいろな数を調べてみると，$4375^3 = 83740234375$ が見つかる。

$10000 - 4375 = 5625$ であり，$5625^3 = 177978515625$ なので，確かに下4桁は変わらない。4375と5625は，2乗では下の桁の数が変わってしまう（$4375^2 = 19140625$，$5625^2 = 31640625$）が，果たして3乗では何桁までも続くのだろうか？　ぜひ考えてみてもらいたい。

また，3乗して現れた数にも何か特徴は見出せるだろうか？　2乗した数に関して紹介したカプレカ数のように，「数を分けて足す」ことも考えられるが，3乗した数では大きくなりすぎてもとの数と一致しない。

そこで，3乗した数のすべての桁の数の和をとってみる。50までの数を計算すると，もとの数と一致するものとして，17, 18, 26, 27の4つが見つかる。

1	2	3	4	5	6	7	8	9	10
1	8	9	10	8	9	10	8	18	1
11	12	13	14	15	16	17	18	19	20
8	18	19	17	18	19	17	18	28	8
21	22	23	24	25	26	27	28	29	30
18	19	17	18	19	26	27	19	26	9
31	32	33	34	35	36	37	38	39	40
28	26	27	19	26	27	19	26	27	10
41	42	43	44	45	46	47	48	49	50
26	27	28	26	18	28	17	18	28	8

28より大きい数では，すべての桁の数の和が，もとの数より小さい数のみであるようであり，あまり規則性があるようには思えない。

⚠ 3乗した数では，2乗した数と同じではないものの，似たような現象が確認できる。他にも試してみよう。

5.2 4乗した数

4乗した数ではどのようなことが見出せるだろうか。3乗した数と同様に，50までの数を4乗した数を次の表に示す。

1^4	2^4	3^4	4^4	5^4
1	16	81	256	625
6^4	7^4	8^4	9^4	10^4
1296	2401	4096	6561	10000
11^4	12^4	13^4	14^4	15^4
14641	20736	28561	38416	50625
16^4	17^4	18^4	19^4	20^4
65536	83521	104976	130321	160000
21^4	22^4	23^4	24^4	25^4
194481	234256	279841	331776	390625
26^4	27^4	28^4	29^4	30^4
456976	531441	614656	707281	810000
31^4	32^4	33^4	34^4	35^4
923521	1048576	1185921	1336336	1500625
36^4	37^4	38^4	39^4	40^4
1679616	1874161	2085136	2313441	2560000
41^4	42^4	43^4	44^4	45^4
2825761	3111696	3418801	3748096	4100625
46^4	47^4	48^4	49^4	50^4
4477456	4879681	5308416	5764801	6250000

3 乗した数とは異なり，2 乗した数と同じような「数の並びの対称性」が，25 を中心に見つかる。

24^4 と 26^4 の下 2 桁は 76，23^4 と 27^4 の下 2 桁は 41，22^4 と 28^4 の下 2 桁は 56，21^4 と 29^4 の下 2 桁は 81，…，2^4 と 48^4 の下 2 桁は 16，1^4 と 49^4 の下 2 桁は 01 である。

2乗した数とまったく同じ現象

4 乗した数についても，「下の桁の数」が変わらない数を探してみよう。

1 桁の数では，1（$1^4 = 1$），5($5^4 = 625$)，6($6^4 = 1296$) が変わらない。これは，2 乗した数と同じである。

50までの数では，25($25^4 = 390625$) がある。1の位が1, 5, 6の数を100まで調べると，76($76^4 = 33362176$) が見つかる。これもまた，2乗した数と同じである。

また，1, 5, 6, 25, 76は，3乗した数でも下の桁の数が変わらない数である。

3桁の数では，376($376^4 = 19987173376$)，625($625^4 = 152587890625$) が見つかる。2乗とまったく同じ数のみである。なぜだろうか。

$$25^4 = 25^3 \times 25 = 15625 \times 25 = (15600 + 25) \times 25$$
$$= 15600 \times 25 + 25^2$$
$$76^4 = 76^3 \times 76 = 438976 \times 76 = (438900 + 76) \times 76$$
$$= 438900 \times 76 + 76^2$$
$$376^4 = 376^3 \times 376 = 53157376 \times 376$$
$$= (53157000 + 376) \times 376 = 53157000 \times 376 + 376^2$$
$$625^4 = 625^3 \times 625 = 244140625 \times 625$$
$$= (244140000 + 625) \times 625 = 244140000 \times 625 + 625^2$$

最後の項で，下2桁と下3桁の数が決まるので，それぞれの数が変わらないことがわかる。

これらの数は5乗，6乗をしていっても下の桁の数が変わらない。よって，どんな自然数乗をしても，下の桁の数が変わらない数が続く数があることがわかる。

次に，4乗した数のすべての桁の数の和をとってみよう。

1	2	3	4	5	6	7	8	9	10
1	7	9	13	13	18	7	19	18	1
11	12	13	14	15	16	17	18	19	20
16	18	22	22	18	25	19	27	10	7
21	22	23	24	25	26	27	28	29	30
27	22	31	27	25	37	18	28	25	9
31	32	33	34	35	36	37	38	39	40
22	31	27	25	19	36	28	25	18	13
41	42	43	44	45	46	47	48	49	50
31	27	25	37	18	37	43	27	31	13

22, 25, 28, 36 の 4 つが，もとの数と一致する。37 以上はもとの数より小さくなるようである。4 乗した数にも，あまり規則があるようには思えない。

(!) **4乗は2乗の2乗なので，4乗した数には2乗した数と似た性質が現れやすい。累乗を4乗まで確かめると，一般の n 乗の姿が見えてくる。**

5.3 5乗した数

これまでと同様に，50 までの数を 5 乗してみよう。

1^5	2^5	3^5	4^5	5^5
1	32	243	1024	3125
6^5	7^5	8^5	9^5	10^5
7776	16807	32768	59049	100000
11^5	12^5	13^5	14^5	15^5
161051	248832	371293	537824	759375
16^5	17^5	18^5	19^5	20^5
1048576	1419857	1889568	2476099	3200000
21^5	22^5	23^5	24^5	25^5
4084101	5153632	6436343	7962624	9765625
26^5	27^5	28^5	29^5	30^5
11881376	14348907	17210368	20511149	24300000
31^5	32^5	33^5	34^5	35^5
28629151	33554432	39135393	45435424	52521875
36^5	37^5	38^5	39^5	40^5
60466176	69343957	79235168	90224199	102400000
41^5	42^5	43^5	44^5	45^5
115856201	130691232	147008443	164916224	184528125
46^5	47^5	48^5	49^5	50^5
205962976	229345007	254803968	282475249	312500000

3乗と同じように25を中心に見ていこう。

24^5 と 26^5 の下2桁を足すと，$24 + 76 = 100$ である。23^5 と 27^5 の下2桁を足すと $43 + 07 = 50$，22^5 と 28^5 の下2桁を足すと $32 + 68 = 100$，21^5 と 29^5 の下2桁を足すと $01 + 49 = 50$, 20^5 と 30^5 の下2桁を足すと $00 + 00 = 00$ である。

さらに，19^5 と 31^5 の下2桁を足すと $99 + 51 = 150$，18^5 と 32^5 の下2桁を足すと $68 + 32 = 100$ である。

1の位に注目すると，1から9までのすべての数で，1の位が変わっていない。50までででは，$24^5 = 7962624$，$25^5 = 9765625$，$32^5 = 33554432$，$43^5 = 147008443$，$49^5 = 282475249$ で下の桁の数が変わらない。

「1の位が2の2桁の数」は下2桁に32が続き，「1の位が3の2桁の数」は下2桁で43と93を繰り返し，「1の位が4の2桁の数」は下2桁に24が続く。

以降，それぞれ1の位が5の数は下2桁で25と75を繰り返し，6の数は76が続き，7の数は07と57を繰り返し，8の数は68が続き，9の数は49と99を繰り返している。これは100まで成り立つ。

よって，$51^5 = 345025251$，$57^5 = 601692057$，$68^5 = 1453933568$，$75^5 = 2373046875$，$76^5 = 2535525376$，$93^5 = 6956883693$，$99^5 = 9509900499$が見つかる。

これらの数と下3桁が変わらない数を表にまとめる。

01	07	24	25	32	43	49
51	57	68	75	76	93	99

001	125	193	249	251	307	375	376	432	443	499
501	557	568	624	625	693	749	751	807	875	999

これらの数は，3乗のときに出てきた数に，32, 43, 57, 68と193, 307, 432, 443が加わっている。

「一般の奇数乗」でどうなる？

24は3乗のときと同様に登場しているが，なぜだろうか。理由を考えてみよう。

まず，3乗を考える。

$$24^3 = 24^2 \times 24 = 576 \times 24 = (500 + 76) \times 24$$
$$= 500 \times 24 + 76 \times 24$$

で $76 \times 24 = 1824$ なので，24^3 の下 2 桁が 24 であるとわかる。次に，

$$24^4 = 24^3 \times 24 = 13824 \times 24 = (13800 + 24) \times 24$$
$$= 13800 \times 24 + 24 \times 24$$

で $24 \times 24 = 576$ なので，24^4 の下 2 桁が 76 であるとわかる。そして，

$$24^5 = 24^4 \times 24 = 331776 \times 24 = (331700 + 76) \times 24$$
$$= 331700 \times 24 + 76 \times 24$$

なので，24^5 の下 2 桁が 24 であるとわかる。よって，24 は奇数乗すると，下 2 桁が 24 である。

他の数も同様に考えることができるので，3 乗で下の桁が変わらない数は 5 乗でも同様である。さらに，一般の奇数乗でも下の桁が変わらないことがわかる。

7 乗することで，他にどれだけの数が加わるかは，実際に計算してみる必要がある。試してみてほしい。

(!) 5乗までを考察すると，一般の奇数乗について見通しが立つ。「どこまで」確かめると「一般の性質」が見えてくるか，この感覚を身につけると数学への理解が一気に深まる。

第2部

「数」を「図形」でとらえるセンスを磨く

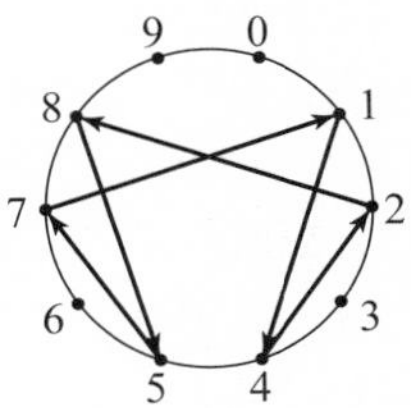

$\frac{1}{7}$

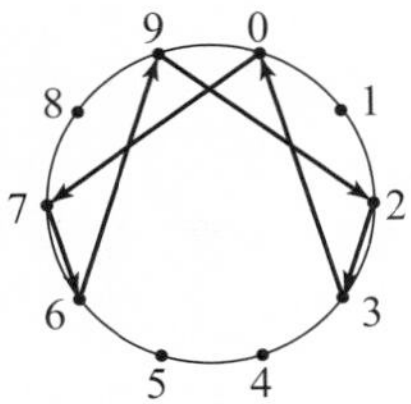

$\frac{1}{13}$

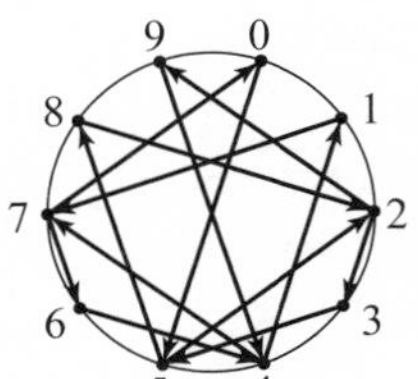

$\frac{1}{17}$

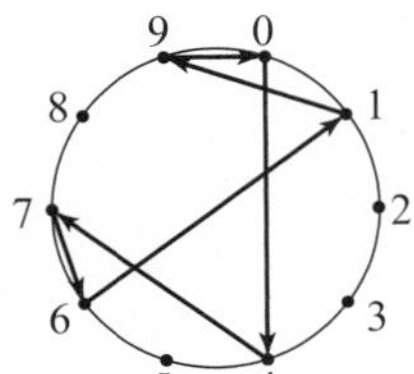

$\frac{1}{21}$

第6章

「三平方の定理」の探究で磨く
――「累乗した数の和」で表される数の世界

中学3年生で学習する「三平方の定理」は，みなさんよくご存じだろう。

直角三角形の3辺の長さ a, b, c のあいだに，$a^2 + b^2 = c^2$ という関係が成り立つ，という定理である。「ピタゴラスの定理」の別名で記憶している方も多いかもしれない。

じつはこの三平方の定理は，「数」を「図形」でとらえるという，数学上きわめて重要な感覚を磨くための第一歩なのである。

「数のセンス」を磨いてきた第1部に続いて，本章以降の第2部では，「数」を「図形」でとらえるセンスを磨くための視点を考えていく。部の題名は〈「数」を「図形」でとらえるセンス〉となっているが，これは同時に，〈「図形」を「数」でとらえるセンス〉でもあることに留意していただきたい。

第2部の幕開けとなる第6章のポイントは，次の3つである。

- **三平方の定理，すなわち$a^2+b^2=c^2$を満たす自然数にはどのようなものがあるのか，「2つの2乗した数の和」で表される自然数は何かを考えよう。**
- **三平方の定理が整理する自然数の「図形的」な意味を考**

えてみよう。

- ✓ **2乗，3乗，4乗した数を足すとどんな数が現れるか，確かめてみよう。**

6.1 三平方の定理とピタゴラス数

三平方の定理は，「2乗した数」が使われる有名な定理である。その意味で，第4章以降で磨いてきた「累乗した数」の感覚から直結したテーマでもある。

三平方の定理をあらためて確認すると，「直角三角形の斜辺の長さの2乗は，他の2辺の長さの2乗の和である」というものである。

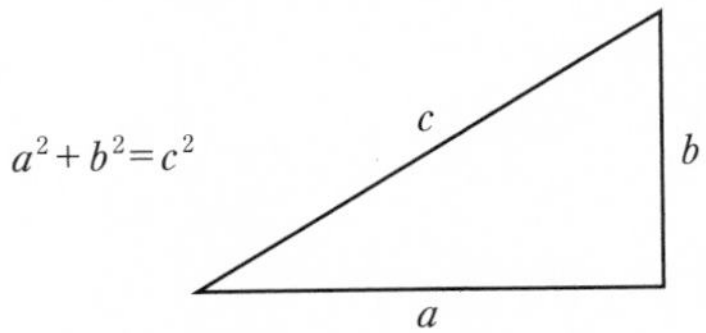

「2つの2乗した数の和（平方和）」を示しているこの等式が成り立つ最も有名な自然数の組は，$a = 3, b = 4, c = 5$であり，$3^2 + 4^2 = 5^2$が成立する。これらの数の組を「ピタゴラス数」という。

ピタゴラス数を自然数倍（k倍）した数でも，等式が成立する。3, 4, 5を2倍した6, 8, 10でも$6^2 + 8^2 = 10^2$が成り立つ。したがって，ピタゴラス数は無限に存在することがわかる。

そこで，3つの数の公約数が1である数を「既約ピタゴラス数」という。既約ピタゴラス数は，どのように求められるかが知られている。

既約ピタゴラス数は次の形に限る。ここで，$m>n$, mとnの最大公約数は1で，mとnの一方は奇数，もう一方は偶数である。

$$x=m^2-n^2,\ y=2mn,\ z=m^2+n^2$$

具体的に m と n にさまざまな自然数を入れると，次の表が得られる。

m	n	m^2-n^2	$2mn$	m^2+n^2
2	1	3	4	5
3	2	5	12	13
4	1	15	8	17
4	3	7	24	25
5	2	21	20	29
5	4	9	40	41
6	1	35	12	37
6	5	11	60	61
7	2	45	28	53
7	4	33	56	65
7	6	13	84	85

30年ほど前に刊行された『ピタゴラスの三角形』（B・シェルピンスキー著，銀林浩訳，東京図書，1993）には，次の問題が未解決問題であると書かれている。

斜辺とそれ以外の小さい辺の一方が素数であるような直角三角形は無限に存在するか。

（3, 4, 5），（5, 12, 13），（11, 60, 61）が上記の命題の条件を満

たす数である。$\dfrac{p^2+1}{2}$が素数である素数 p が無限に存在することを示せれば，未解決問題は「存在する」と解決する。

(!) ピタゴラス数についてはよくわかっているが，素数と関連づけると未解決問題が残っている。

6.2 ピタゴラス数の「図形的」意味

a, b, c をピタゴラス数として，$a^2+b^2=c^2$ が成り立つとする。両辺を c^2 で割ると，$\left(\dfrac{a}{c}\right)^2+\left(\dfrac{b}{c}\right)^2=1^2$ を得る。

これは，斜辺が１で２辺が分数で表される数（有理数）である直角三角形があることを意味する。

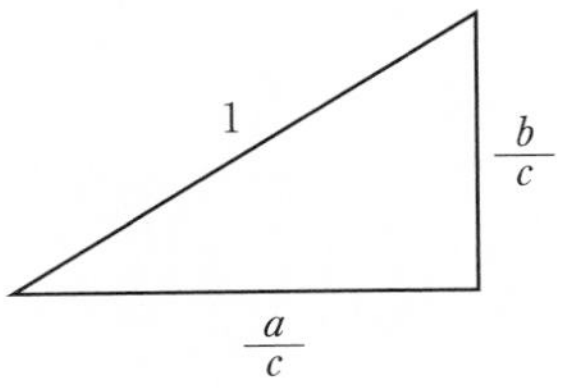

各ピタゴラス数（3, 4, 5），（5, 12, 13），（15, 8, 17），（7, 24, 25），（21, 20, 29）の斜辺も１としてみると，

$$\left(\frac{3}{5}\right)^2+\left(\frac{4}{5}\right)^2=1^2,\ \left(\frac{5}{13}\right)^2+\left(\frac{12}{13}\right)^2=1^2,\ \left(\frac{15}{17}\right)^2+\left(\frac{8}{17}\right)^2=1^2,$$

$$\left(\frac{7}{25}\right)^2+\left(\frac{24}{25}\right)^2=1^2,\ \left(\frac{21}{29}\right)^2+\left(\frac{20}{29}\right)^2=1^2$$

が成り立つ。

これらの長さの辺をもつ直角三角形を，斜辺の１つの頂

点が重なるように描くと，円が見えてくる。ここで，この頂点を原点において座標平面上に置くと，ピタゴラス数は原点を中心とする半径1の円の円周上にあるx座標とy座標がともに有理数である点に対応する。

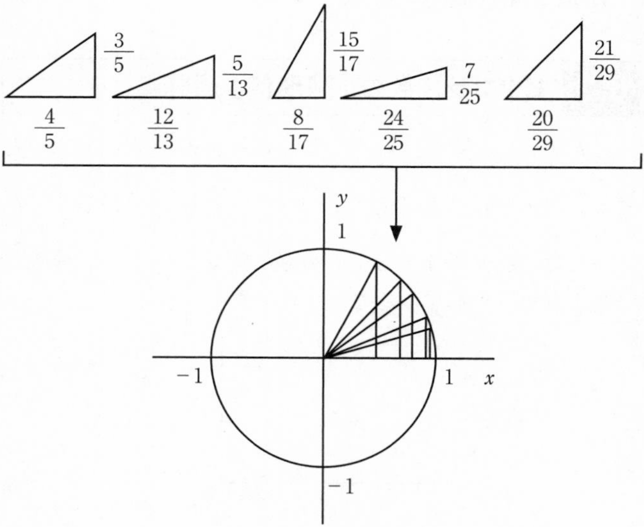

なお，座標平面上で$x^2+y^2=1$を満たす点全体は，原点を中心とする半径1の円を描く。このような円を「単位円」とよぶ。

逆に，座標平面上で，$x^2+y^2=1$を満たすx座標とy座標がともに有理数である点$\left(\frac{m}{n}, \frac{l}{k}\right)$があるとする。

$\left(\frac{m}{n}\right)^2+\left(\frac{l}{k}\right)^2=1$が成り立つので$(km)^2+(nl)^2=(nk)^2$で

あり，ピタゴラス数（km, nl, nk）が対応する。

(!) ピタゴラス数は，座標平面上で $x^2+y^2=1$ を満たす x 座標と y 座標がともに有理数である点に対応する。

6.3 フェルマーの最終定理

三平方の定理は，3つの数の2乗和を結んだ形をしている。

それでは，2乗を3乗に，あるいは4乗にしたら，$a^3 + b^3 = c^3$ や $a^4 + b^4 = c^4$ を満たす整数解の組 a, b, c は存在するだろうか？　という疑問が自然に生じてくる。3乗や4乗した数の表を見ても，等式の成立する数はまったく見つけられない。

これを一般化したものは，ピエール・ド・フェルマー（1607〜1665）が提唱した難問として知られ，「フェルマーの最終定理」とよばれている。

フェルマーの最終定理

nを3以上の自然数とすると，$a^n+b^n=c^n$は整数解をもたない。

フェルマーの最終定理は1995年，アンドリュー・ワイルズによって完全に証明された。

$a^n + b^n = c^n$ を満たす自然数 a, b, c が存在するとき，c^n で両辺を割ると，$\left(\frac{a}{c}\right)^n + \left(\frac{b}{c}\right)^n = 1$ である。ピタゴラス数と同様に考えると，$x^n + y^n = 1$ を満たす x 座標と y 座標がともに有理数である点がないことを意味する。

$x^3 + y^3 = 1$ や $x^4 + y^4 = 1$ は，次の図のように表される。

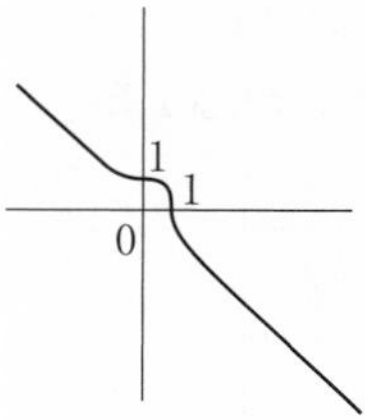

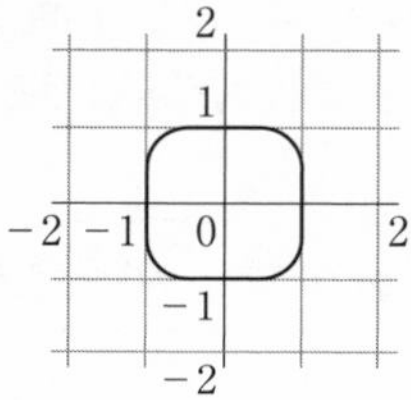

$x^3+y^3=1$ の表す曲線は，(1, 0)，(0, 1) の 2 点以外は x 座標と y 座標がともに有理数である点を通らないことを意味する。

$x^4+y^4=1$ の表す曲線は，(1, 0)，(0, 1)，(−1, 0)，(0, −1) の 4 点以外は x 座標と y 座標がともに有理数である点を通らないことを意味する。

⚠ 三平方の定理の2乗を3乗以上にすると，「自然数の解」が存在しなくなる。定番の定理を変化・拡張した際に何が生じるか，手を動かして確かめる習慣を身につけよう。

6.4 2乗した数の和

三平方の定理では，2 乗した 3 つの数を和で結んでいた。

言い換えると，ピタゴラス数は「2 乗した数が 2 つの 2 乗した数の和で表されるか」という問題である。「はじめに」でも指摘したように，「数を図形でとらえ，図形を数でとらえる」ことは，数学の理解を深めるための重要なステップとなる。

ここでは，三平方の定理とピタゴラス数について「図形を数でとらえる」視点から派生して，自然数をいくつかの2乗した数の和や3乗した数の和で表すことを考えてみよう。

1から9までの2つの自然数の2乗した数の和で表せる数は，次の表に示したものである。

	1	4	9	16	25	36	49	64	81
1	2	5	10	17	26	37	50	65	82
4	5	8	13	20	29	40	53	68	85
9	10	13	18	25	34	45	58	73	90
16	17	20	25	32	41	52	65	80	97
25	26	29	34	41	50	61	74	89	106
36	37	40	45	52	61	72	85	100	117
49	50	53	58	65	74	85	98	113	130
64	65	68	73	80	89	100	113	128	145
81	82	85	90	97	106	117	130	145	162

3, 4, 6, 7, 9, 11, 12, 14, 15, 16, 19などは表に現れていないので，2つの2乗した数の和で表せないことがわかる。

50は3ヵ所に現れている。つまり，50は異なる2数の2乗数の和で表すことができる。

$$50 = 1^2 + 7^2 = 5^2 + 5^2$$

85も同様で，

$$85 = 2^2 + 9^2 = 6^2 + 7^2$$

である。

「タクシー数」とはなにか

3乗では，インドの数学者，シュリニヴァーサ・ラマヌジャン（1887〜1920）による「タクシー数」がよく知られている。

病気療養中のラマヌジャンを見舞いに訪れた友人が，乗ってきたタクシーのナンバーが「1729」だったことを伝え，「面白みのない数だ」と断じたことに対し，ラマヌジャンが「1729という数は，2通りの3乗数の和で表せる面白い数だ」と返したという逸話にちなんだものである。

$$1729 = 12^3 + 1^3 = 10^3 + 9^3$$

このように2通りの3乗数の和で表すことのできる数を「タクシー数」とよぶ。ちなみに1729は，最小のタクシー数である。

最小の2乗した数の和

自然数が，いくつの2乗した数の和（平方和）で表されるかについては，特徴がよくわかっている。

40以下の自然数を最小の2乗した数の和で表したのが，次の表である。

1	1^2	21	$1^2+2^2+4^2$
2	1^2+1^2	22	$2^2+3^2+3^2$
3	$1^2+1^2+1^2$	23	$1^2+2^2+3^2+3^2$
4	2^2	24	$2^2+2^2+4^2$
5	1^2+2^2	25	5^2
6	$1^2+1^2+2^2$	26	1^2+5^2
7	$1^2+1^2+1^2+2^2$	27	$1^2+1^2+5^2$ $3^2+3^2+3^2$
8	2^2+2^2	28	$1^2+1^2+1^2+5^2$
9	3^2	29	2^2+5^2
10	1^2+3^2	30	$1^2+2^2+5^2$
11	$1^2+1^2+3^2$	31	$1^2+1^2+2^2+5^2$
12	$2^2+2^2+2^2$	32	4^2+4^2
13	2^2+3^2	33	$1^2+4^2+4^2$
14	$1^2+2^2+3^2$	34	3^2+5^2
15	$1^2+1^2+2^2+3^2$	35	$1^2+3^2+5^2$
16	4^2	36	6^2
17	1^2+4^2	37	1^2+6^2
18	3^2+3^2	38	$1^2+1^2+6^2$
19	$1^2+3^2+3^2$	39	$1^2+1^2+1^2+6^2$
20	2^2+4^2	40	2^2+6^2

２つの２乗した数の和で表される自然数については，以下のことがわかっている。

2つの2乗した数の和で表される2以外の自然数nは，mを自然数，kを4で割って3余る素因数をもたない数とし，$n=m^2k$と表されるものに限る。

nが素数の場合は$m=1$で，kがその素数なので，kを4で割って１余れば２つの２乗した数の和で表すことができ，３余れば２つの２乗した数の和で表すことができない。よって，5, 13, 17, 29, 37は２つの２乗した数の和で表すことができ，7, 19, 23, 31は２つの２乗した数の和で表すことができない。

合成数の場合は，素因数分解して偶数乗される数は m に入れて，それ以外を k にすればよい。

$$12 = 2^2 \times 3,\ 14 = 1^2 \times (2 \times 7),\ 15 = 1^2 \times (3 \times 5)$$

などは，k に４で割って３余る素因数をもつので，２つの２乗した数の和で表せない。

２つの２乗した数の和で表される数の積が２つの２乗した数の和で表されることは，次の式からわかる。

$$(a^2 + b^2)(c^2 + d^2) = (ad + bc)^2 + (ac - bd)^2$$

右辺も左辺も，展開すると $a^2c^2 + a^2d^2 + b^2c^2 + b^2d^2$ なので，等号が成り立つことが確認できる。たとえば，

$$\begin{aligned} 205 &= 5 \times 41 = (1^2 + 2^2)(4^2 + 5^2) \\ &= (1 \times 5 + 2 \times 4)^2 + (1 \times 4 - 2 \times 5)^2 = 13^2 + 6^2 \end{aligned}$$

となる。

図形で考えてみると……？

次に，間隔が１の格子状の点を考えてみよう。このような格子点は「ジオボード」とよばれることもある。

実際に描いてみるとすぐにわかるように，面積が２乗した数か，あるいは２つの２乗した数の和で表される数となっている正方形のみが，格子点を結んで作ることのできる正方形である。

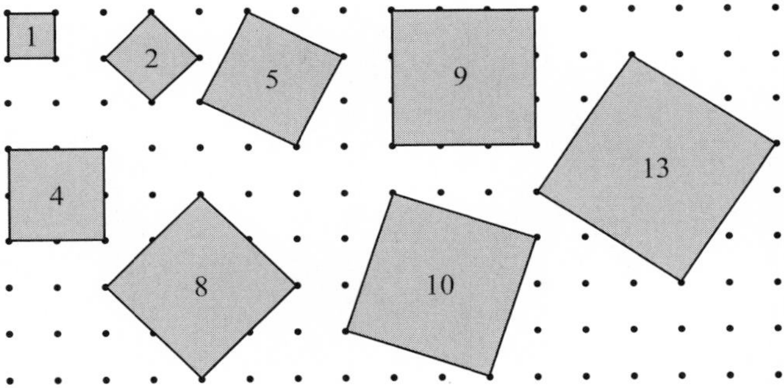

いくつの2乗した数があれば，自然数を表せるか

3つの2乗した数の和で表される数については，1798年にアドリアン＝マリ・ルジャンドルによって示された。

> **3つの2乗した数の和で表される自然数nは，mとkは0か自然数，aは1, 2, 3, 5, 6とし，$n=4^m(8k+a)$と表されるものに限る。なお，$4^0=1$として計算する。**

4で割れるだけ割ったのちに，8で割って余りが0, 4, 7でなければよい。

たとえば，96は4で2回割れて6が残る。$96 = 4^2 \times 6$で，6を8で割った余りは6なので，3つの2乗した数の和で表される。$96 = 4^2 \times (8 \times 0 + 6)$ である。

$$96 = 16 + 16 + 64 = 4^2 + 4^2 + 8^2$$

272は4で2回割れて17が残る。17を8で割ると余りは1なので，3つの2乗した数の和で表される。$272 = 4^2 \times (8$

×2＋1）である。

$$272 = 64 + 64 + 144 = 8^2 + 8^2 + 12^2$$

240は4で2回割れて15が残る。15を8で割ると余りは7なので，3つの2乗した数の和で表すことはできない。

ある数が3つの2乗した数の和で表されることはわかっても，具体的にどの3つの自然数を2乗して足せばよいかを求めるのは難しい問題である。

また，$96 = 4^2 \times (2 \times 3)$ なので，k の部分に4で割って3余る素因数があるので，2つの2乗した数の和では表せない。$272 = 4^2 \times 17$ は2つの2乗した数の和（$4^2 + 16^2$）でも表される。

ジョゼフ＝ルイ・ラグランジュ（1736〜1813）は，最大で4つの2乗した数があれば，どんな自然数も，それらの和で表せることを示した。「四平方定理」とよばれている。

四平方定理

どんな自然数も，4つ以下の2乗した自然数の和で表される。

(!) いくつの2乗した自然数の和で数を表せるかはよくわかっている。

6.5 3乗した数の和

3乗した数の和，すなわち立方数和を考える問題はかなり難しくなる。なぜなら，負の数が出てきてしまい，与えられた自然数 n に対して，有限通りを調べる問題にならないためである。

ルイス・モーデル（1888～1972）は，9で割って4か5余る数でない自然数に対して，それを3つの立方数和 $x^3 + y^3 + z^3$ で表す問題を考えた（次ページの表参照）。

33については2019年，コンピュータを使ってようやく1つの解が見つかった。

$$33 = (-2736111468807040)^3 + (-8778405442862239)^3 + 8866128975287528^3$$

① 3乗した数は負の数が出てくるので，無限の数の組み合わせを考える必要があり，問題がかなり難しくなる。

6.6 4乗した数の和――オイラーの予想

数学の巨人，レオンハルト・オイラー（1707～1783）はフェルマーの最終定理の項を増やし，次の予想をした。

オイラーの予想

$x^4+y^4+z^4=w^4$ を満たす自然数の解 (x, y, z, w) は存在しない。

しかし，1988年にハーバード大学のノーム・エルキース（1966～）が次の解を発見した。

$$2682440^4 + 15365639^4 + 18796760^4 = 20615673^4$$

① 計算機のないオイラーの時代には，計算が困難な数の世界で想像しづらい等式が現れる。

	x	y	z
0	0	0	0
1	0	0	1
1	9	10	−12
2	1	1	0
2	1214928	3480205	−3528875
3	1	1	1
3	4	4	−5
3	569936821221962380720	−569936821113563493509	−472715493453327032
6	−1	−1	2
6	60248	10529	−60355
7	0	−1	2
8	9	15	−16
9	0	1	2
10	1	1	2
11	−2	−2	3
12	7	10	−11
15	−1	2	2
16	−511	−1609	1626
17	1	2	2
18	-1	−2	3
19	0	−2	3
20	1	−2	3
21	-11	−14	16
24	2	2	2
24	−2901096694	−15550555555	15584139827
25	−1	−1	3
26	0	−1	3
27	0	0	3
27	−4	−5	6
28	0	1	3
29	1	1	3
30	−283059965	−2218888517	2220422932

6.7 何乗かした数に関する未解決問題

同一の指数の和に関する問題を一般化した未解決問題が知られている。

未解決問題（フェルマー・カタラン予想）

x, y, z, k, m, nを自然数とする。

$x^k+y^m=z^n$　$\frac{1}{k}+\frac{1}{m}+\frac{1}{n}<1$　x, y, zの最大公約数が1

の自然数の組(x, y, z)は有限個しか存在しない。

次の９通りが，現時点で知られているものである。

$$2^5+7^2=3^4$$
$$13^2+7^3=2^9$$
$$2^7+17^3=71^2$$
$$3^5+11^4=122^2$$
$$33^8+1549034^2=15613^3$$
$$1414^3+2213459^2=65^7$$
$$9262^3+15312283^2=113^7$$
$$17^7+76271^3=21063928^2$$
$$43^8+96222^3=30042907^2$$

(!) **指数をいろいろな数に組み合わせると，現代の数学をもってしても解決できない問題が残っていることがわかる。**

(!) **三平方の定理のような中学数学で学ぶ基本的な定理を深めていくと，より高度な数学の入り口に立つことができる。**

第7章 「分数の小数表示」の探究で磨く
——そして「図形」で表してみると……？

分数を小数で表すことは小学校で学習する。

「分数の小数表示」によって，$\frac{1}{4}=0.25$ のようにあるところで止まる小数として表されるときもあれば，$\frac{1}{3}=0.333\cdots$ のように3がずっと続いていくときがあることを知る。前者を「有限小数」といい，後者を「循環小数」という。

本章では，中学校で学ぶ素因数分解という武器を使って，分数の小数表示についてより深く探究してみよう。

まず，分母が2〜9で分子が1の各分数を小数で表してみる。

$$\frac{1}{2}=0.5,\ \frac{1}{3}=0.333\cdots,\ \frac{1}{4}=0.25,\ \frac{1}{5}=0.2,$$

$$\frac{1}{6}=0.1666\cdots,\ \frac{1}{7}=0.142857\cdots,\ \frac{1}{8}=0.125,$$

$$\frac{1}{9}=0.1111\cdots$$

$\frac{1}{3}$では3が繰り返され，$\frac{1}{6}$では6が繰り返され，$\frac{1}{7}$では142857が繰り返される。このように繰り返される数の列を「循環節」という。

$\frac{1}{7}$の場合は，142857142857 が繰り返されると見ることもできるが，循環節は最も短い繰り返し部分を指し，循環節に現れる数字の数を「循環節の長さ」という。$\frac{1}{6}$は循環節の長さが1であり，$\frac{1}{7}$は6である。

分数を小数表示した際の循環節にどんな法則があるのかを探るために，分母が25までの真分数（分子が分母より小さい分数）を実際に小数で表してみよう。計算機に任せてもよいが，手で計算してみても面白い。なお，この章では原則として，分子が分母より小さい真分数のみを対象として扱う。

本章のポイントとして，次の点が挙げられる。

- **手計算で真分数の表を効率的に作る方法はあるか？**
- **有限小数になる分数とは？　また，どんな分子に対しても有限小数になる分母は存在するか？**
- **循環小数になる分数とは？　また，循環節を「図」にすると何がわかるか？**
- **どんな分母でも，分母が同じなら循環する小数は同じ長さの循環節をもつか？**
- **循環しない数が含まれる分数と，すぐに循環する分数の違いは？**
- **「循環節の長さ」にはなんらかの法則が存在するか？**
- **分母の大きい分数を考えれば，いくらでも長い循環節をもつ分数が存在するか？**

まず，分母が25までの真分数を表にしてみよう。表中の下線部は循環節であることを示している。

分子＼分母	2	3	4	5	6	7	8	9	10
1	0.5	$0.\underline{3}$	0.25	0.2	$0.1\underline{6}$	$0.\underline{142857}$	0.125	$0.\underline{1}$	0.1
2		$0.\underline{6}$	0.5	0.4	$0.\underline{3}$	$0.\underline{285714}$	0.25	$0.\underline{2}$	0.2
3			0.75	0.6	0.5	$0.\underline{428571}$	0.375	$0.\underline{3}$	0.3
4				0.8	$0.\underline{6}$	$0.\underline{571428}$	0.5	$0.\underline{4}$	0.4
5					$0.8\underline{3}$	$0.\underline{714285}$	0.625	$0.\underline{5}$	0.5
6						$0.\underline{857142}$	0.75	$0.\underline{6}$	0.6
7							0.875	$0.\underline{7}$	0.7
8								$0.\underline{8}$	0.8
9									0.9

分子＼分母	11	12	13	14	15	16	17
1	$0.\underline{09}$	$0.08\underline{3}$	$0.\underline{076923}$	$0.0\underline{714285}$	$0.0\underline{6}$	0.0625	$0.\underline{0588235294117647}$
2	$0.\underline{18}$	$0.1\underline{6}$	$0.\underline{153846}$	$0.\underline{142857}$	$0.1\underline{3}$	0.125	$0.\underline{1176470588235294}$
3	$0.\underline{27}$	0.25	$0.\underline{230769}$	$0.2\underline{142857}$	0.2	0.1875	$0.\underline{1764705882352941}$
4	$0.\underline{36}$	$0.\underline{3}$	$0.\underline{307692}$	$0.\underline{285714}$	$0.2\underline{6}$	0.25	$0.\underline{2352941176470588}$
5	$0.\underline{45}$	$0.41\underline{6}$	$0.\underline{384615}$	$0.3\underline{571428}$	$0.\underline{3}$	0.3125	$0.\underline{2941176470588235}$
6	$0.\underline{54}$	0.5	$0.\underline{461538}$	$0.\underline{428571}$	0.4	0.375	$0.\underline{3529411764705882}$
7	$0.\underline{63}$	$0.58\underline{3}$	$0.\underline{538461}$	0.5	$0.4\underline{6}$	0.4375	$0.\underline{4117647058823529}$
8	$0.\underline{72}$	$0.\underline{6}$	$0.\underline{615384}$	$0.\underline{571428}$	$0.5\underline{3}$	0.5	$0.\underline{4705882352941176}$
9	$0.\underline{81}$	0.75	$0.\underline{692307}$	$0.6\underline{428571}$	0.6	0.5625	$0.\underline{5294117647058823}$
10	$0.\underline{90}$	$0.8\underline{3}$	$0.\underline{769230}$	$0.\underline{714285}$	$0.\underline{6}$	0.625	$0.\underline{5882352941176470}$
11		$0.91\underline{6}$	$0.\underline{846153}$	$0.7\underline{857142}$	$0.7\underline{3}$	0.6875	$0.\underline{6470588235294117}$
12			$0.\underline{923076}$	$0.\underline{857142}$	0.8	0.75	$0.\underline{7058823529411764}$
13				$0.9\underline{285714}$	$0.8\underline{6}$	0.8125	$0.\underline{7647058823529411}$
14					$0.9\underline{3}$	0.875	$0.\underline{8235294117647058}$
15						0.9375	$0.\underline{8823529411764705}$
16							$0.\underline{9411764705882352}$

分母 / 分子	18	19	20	21
1	0.05	0.052631578947368421	0.05	0.047619
2	0.1	0.105263157894736842	0.1	0.095238
3	0.16	0.157894736842105263	0.15	0.142857
4	0.2	0.210526315789473684	0.2	0.190476
5	0.27	0.263157894736842105	0.25	0.238095
6	0.3	0.315789473684210526	0.3	0.285714
7	0.38	0.368421052631578947	0.35	0.3
8	0.4	0.421052631578947368	0.4	0.380952
9	0.5	0.473684210526315789	0.45	0.428571
10	0.5	0.526315789473684210	0.5	0.476190
11	0.61	0.578947368421052631	0.55	0.523809
12	0.6	0.631578947368421052	0.6	0.571428
13	0.72	0.684210526315789473	0.65	0.619047
14	0.7	0.736842105263157894	0.7	0.6
15	0.83	0.789473684210526315	0.75	0.714285
16	0.8	0.842105263157894736	0.8	0.761904
17	0.94	0.894736842105263157	0.85	0.809523
18		0.947368421052631578	0.9	0.857142
19			0.95	0.904761
20				0.952380

分母 / 分子	22	23	24	25
1	0.045	0.0434782608695652173913	0.0416	0.04
2	0.09	0.0869565217391304347826	0.083	0.08
3	0.136	0.1304347826086956521739	0.125	0.12
4	0.18	0.1739130434782608695652	0.16	0.16
5	0.227	0.2173913043478260869565	0.2083	0.2
6	0.27	0.2608695652173913043478	0.25	0.24
7	0.318	0.3043478260869565217391	0.2916	0.28
8	0.36	0.3478260869565217391304	0.3	0.32
9	0.409	0.3913043478260869565217	0.375	0.36
10	0.45	0.4347826086956521739130	0.416	0.4
11	0.5	0.4782608695652173913043	0.4583	0.44
12	0.54	0.5217391304347826086956	0.5	0.48
13	0.590	0.5652173913043478260869	0.5416	0.52
14	0.63	0.6086956521739130434782	0.583	0.56
15	0.681	0.6521739130434782608695	0.625	0.6
16	0.72	0.6956521739130434782608	0.6	0.64
17	0.772	0.7391304347826086956521	0.7083	0.68
18	0.81	0.7826086956521739130434	0.75	0.72
19	0.863	0.8260869565217391304347	0.7916	0.76
20	0.90	0.8695652173913043478260	0.83	0.8
21	0.954	0.9130434782608695652173	0.875	0.84
22		0.9565217391304347826086	0.916	0.88
23			0.9583	0.92
24				0.96

これらの表からは，真分数を小数表示した際に，「いつまでも続く循環小数」と，「正確な小数で表現できる有限小数」とに分かれることがあらためて確認できる。

面白いことに，たとえば円周率（3.14159265358…）のような，いつまでも不規則に数が並び続ける小数は見当たらない。

また，$\frac{1}{3}$(0.333…) のように小数第１位から循環する分数と，$\frac{1}{6}$(0.1666…) のように小数点以下の序盤に循環しない部分のある分数があることもわかる。$\frac{1}{3}$のように循環する部分が１つの数（3）であるものもあれば，$\frac{1}{7}$のように数が６つ（142857）で循環するものもある。

他にも特徴のある数がないか，探ってみてほしい。

7.1 「不規則に数が並び続ける小数」はなぜ現れないのか

円周率 π = 3.141592653589793238462643383279502884197169399375105820974944592307816406286208998628034825342117067982148086513282306647093844609550582231725359408128481117450284102701938521105559644622948954930381964428810975665933446128475648233786783165271201909145648566923460348610454326648213393607260249141273724587006

のような，「いつまでも不規則に数が並び続ける小数」が現れない理由を考えてみよう。

まず，$\frac{1}{7}$の余りに注目してみる。

１を７で割った商は，小数に現れている 0, 1, 4, 2, 8, 5, 7, …であり，余りは 1, 3, 2, 6, 4, 5, 1, …である。余りに 0 が出てくれば，そこで割り切れることになり，有限小数となる。

```
  0.142857…
7)1
  0
  10
   7
   30
   28
    20
    14
     60
     56
      40
      35
       50
       49
        1
```

自然数を7で割った余りは，割り切れる場合の0を除いて1から6までなので6種類である。

$\frac{1}{7}$ではそのすべてが現れ，1に戻ってくる。1に戻ってきたら，後はまた同じ計算をすればよいので，商は1, 4, 2, 8, 5, 7，余りは3, 2, 6, 4, 5, 1の順に出てくるので循環することがわかる。

$\frac{1}{3}$は10 ÷ 3の余りが1なので，3のみが続く。

一般に，分母がnの場合，0以外の余りは$n-1$種類なので，次のことがいえる。

> $\frac{m}{n}$が有限小数でない場合，その小数表現は循環し，
>
> その循環節の長さは最大でも$n-1$である。

ⓘ 分数を小数で表しても，ランダムに数が並ぶことはない。

7.2 手計算での工夫

$\frac{1}{7}$を筆算（ひっさん）で計算した後に，続いて$\frac{2}{7}$を筆算で計算することを考えてみよう。

$\frac{1}{7}$と同じように筆算で計算していくと，次のようになる。

余りに2が出てきて，繰り返しが起こる。

```
      0.285714…
   7)2
     0
     20
     14
      60
      56
       40
       35
        50
        49
         10
          7
         30
         28
          2
```

しかし，余りの2は，すでに$\frac{1}{7}$の筆算で見たので，その部分から商を書いていけば，わざわざ計算しなくても$\frac{2}{7}$の小数表示（0.285714…）が得られる。同じく$\frac{1}{7}$の筆算結果から，$\frac{3}{7}$の小数表示は，余りに3のある，4から始まる0.428571であることがわかる。同様に，

$\frac{4}{7}$の小数表示は0.571428…，$\frac{5}{7}$の小数表示は0.714285…，

$\frac{6}{7}$の小数表示は0.857142…

である。

筆算の途中式が残っていれば，$\frac{1}{7}$に対する1つの計算から，6つの分数の小数表示を知ることができる。

また，これらの循環節はいずれも，142857142857…のどこかから始まっている。

(!) 途中式を残すと計算が便利であり，法則を見つけやすくなる。

7.3 循環節を図示してみると……？

循環節から図形を作ってみよう。円周を 10 等分し，0 から 9 の数字を振る。循環節に出てくる数を順に結ぶと，何が現れるだろうか。

$\dfrac{1}{7}$の循環節：1, 4, 2, 8, 5, 7

$\dfrac{1}{13}$の循環節：0, 7, 6, 9, 2, 3

$\dfrac{1}{17}$の循環節：0, 5, 8, 8 2, 3, 5, 2, 9, 4, 1, 1, 7, 6, 4, 7

$\dfrac{1}{21}$の循環節：0, 4, 7, 6, 1, 9

を図示すると，次のようになる。

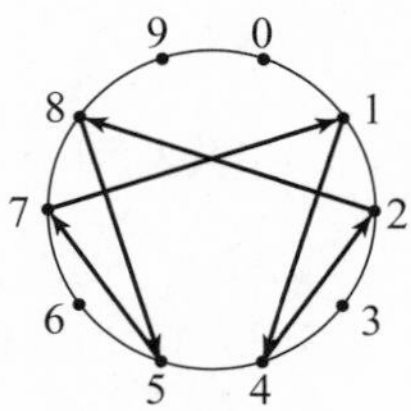

$\dfrac{1}{7}$

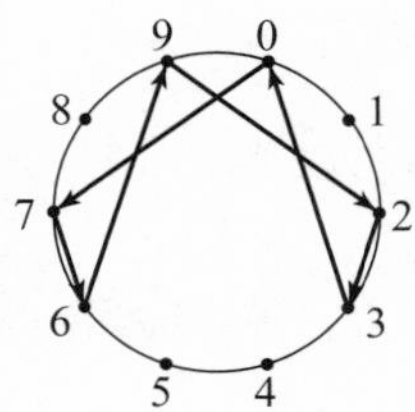

$\dfrac{1}{13}$

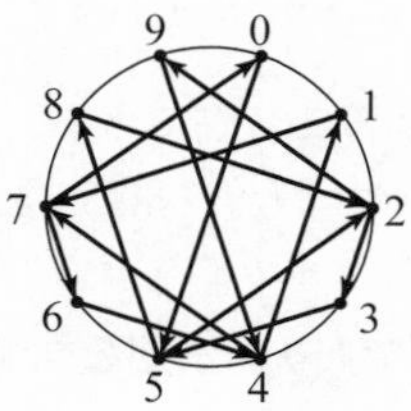

$\dfrac{1}{17}$

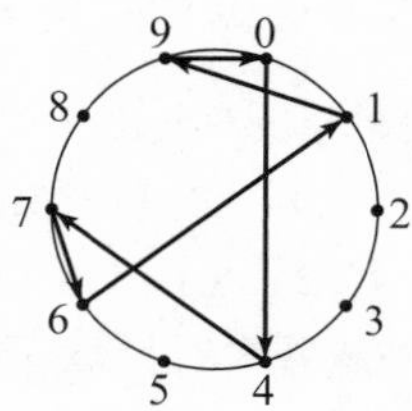

$\dfrac{1}{21}$

8, 8や1, 1と同じ数が続くところは図示していないが，その数字自身を結ぶ小さな円を描いてもよい。

これらの図形は，$\frac{1}{21}$を除くと線対称な図形になっている。なぜだろうか。

分母が素数で循環節の長さが偶数のとき，循環節を前半と後半に分けて足すと，9が並ぶ数になることが知られており，「ミディ（Midy）の定理」とよばれている。

たとえば，$\frac{1}{7}$の循環節では $142 + 857 = 999$，$\frac{1}{13}$の循環節では $076 + 923 = 999$，$\frac{1}{17}$の循環節では $05882352 + 94117647 = 99999999$ である。

$\frac{2}{7}$の循環節でも $285 + 714 = 999$，$\frac{5}{13}$の循環節でも $384 + 615 = 999$ である。

この事実が，循環節の長さが偶数のときに，それを図示したものがどれも線対称の図形になることを示している。

(!) 数の列を図として表現すると，対称性を見つけられることがある。

7.4 有限小数で表される分数

有限小数で表される分数を挙げてみよう。ただし，約分した分数のみを考えることにする。

$\frac{1}{2}$, $\frac{1}{4}$, $\frac{3}{4}$, $\frac{1}{5}$, $\frac{2}{5}$, $\frac{3}{5}$, $\frac{4}{5}$, $\frac{1}{8}$, $\frac{3}{8}$, $\frac{5}{8}$, $\frac{7}{8}$, $\frac{1}{10}$,

$$\frac{3}{10}, \frac{7}{10}, \frac{9}{10}, \frac{1}{16}, \frac{3}{16}, \frac{5}{16}, \frac{7}{16}, \frac{9}{16}, \frac{11}{16}, \frac{13}{16}, \frac{15}{16}$$

これらの分母を素因数分解してみると，次のようになる。

$$\frac{1}{2}, \frac{1}{2^2}, \frac{3}{2^2}, \frac{1}{5}, \frac{2}{5}, \frac{3}{5}, \frac{4}{5}, \frac{1}{2^3}, \frac{3}{2^3}, \frac{5}{2^3}, \frac{7}{2^3},$$

$$\frac{1}{2 \times 5}, \frac{3}{2 \times 5}, \frac{7}{2 \times 5}, \frac{9}{2 \times 5},$$

$$\frac{1}{2^4}, \frac{3}{2^4}, \frac{5}{2^4}, \frac{7}{2^4}, \frac{9}{2^4}, \frac{11}{2^4}, \frac{13}{2^4}, \frac{15}{2^4}$$

何か気づくことがあるだろうか？

じつは，分母の素因数が2と5のみになっている。2と5は10の約数である。これは何を意味しているのだろうか？

分数は整数の商で表すことができる。

たとえば，$\frac{3}{4}$は$3 \div 4$である。よって，有限小数に収まることは，割られる数に何回か10をかけて，整数÷整数が整数の範囲に収まることである。

たとえば$1 \div 4$なら，$100 \div 4 = 25$であるため，$\frac{1}{4} = 0.25$である。$3 \div 8$なら，$3000 \div 8 = 375$であるため，$\frac{3}{8} = 0.375$である。

ここで，整数÷整数が整数の範囲で割り切れることについて，素因数分解を使って考えてみよう。

$12 \div 4 = 3$は割り切れる　→　$(2^2 \times 3) \div (2^2)$

$14 \div 4 = 3$余り2で割り切れない　→　$(2 \times 7) \div (2^2)$

「割られる数の素因数」に「割る数の素因数」が含まれて

いるかどうかで，整数÷整数が整数の範囲で割り切れるかどうかが決まる。

素因数としての「2と5」の意味

小数第1位で割り切れるということは，もとの割られる数に10をかけた数が整数の範囲で割り切れることである。

$$18 \div 12 = 1.5 \quad \rightarrow \quad 180 \div 12 = 15$$

10をかけるとは，素因数として2と5を増やすということである。

$$18 \div 12 \quad \rightarrow \quad (2 \times 3^2) \div (2^2 \times 3)$$

(割られる数を10倍する) $\rightarrow \quad (2^2 \times 3^2 \times 5) \div (2^2 \times 3)$

とすると，素因数を割ってなくせる。

すなわち，答えが有限小数になるとは，割られる数に10を何回かかけた数が，割る数で割り切れるということになる。どんな割られる数に対しても，答えが有限小数になる数は，割る数が2と5のみを素因数にもつ数である。

したがって，$32 = 2^5$，$640 = 2^7 \times 5$，$1250 = 2 \times 5^4$ などは，どんな数が分子でも有限小数で表される。

$$\frac{1}{32} = 0.03125,\ \frac{5}{32} = 0.15625,\ \frac{13}{32} = 0.40625,$$

$$\frac{1}{640} = 0.0015625,\ \frac{7}{640} = 0.0109375,\ \frac{137}{640} = 0.2140625$$

$$\frac{1}{1250} = 0.0008,\ \frac{13}{1250} = 0.0104,\ \frac{503}{1250} = 0.4024$$

「2と5の指数」に注目せよ

さらに考察を続けよう。

分母が32の約分された分数は，分子がどんな数であっても小数第5位で収まる有限小数である。これは，32を素因数分解したときの2の指数に対応している。

分母が640の約分された分数は，分子がどんな数であっても小数第7位で収まる有限小数である。これも，$640 = 2^7 \times 5$ を素因数分解したときの2の指数に対応している。

分母が1250の約分された分数は，分子がどんな数であっても小数第4位で収まる有限小数である。こちらは，$1250 = 2 \times 5^4$ を素因数分解したときの5の指数に対応している。まとめると，次である。

> 約分された分数が有限小数で表されるのは，
> 分母の素因数が2と5のみの数である。
> さらに，2と5の指数のうち大きいほうをnとすると，
> 小数第n位で収まる小数で表される。

(!) 25までの真分数を調べると，有限小数で表される分数の特徴がわかる。

7.5 約分された分数の循環節の特徴とは

循環する分数のうち，約分された分数のみに注目してみよう。

分母が3のとき，$\frac{1}{3}$と$\frac{2}{3}$の循環節の長さはともに1であ

る。

分母が7のとき，$\frac{1}{7}, \frac{2}{7}, \frac{3}{7}, \frac{4}{7}, \frac{5}{7}, \frac{6}{7}$の循環節の長さはすべて6である。

分母が12のとき，$\frac{1}{12}, \frac{5}{12}, \frac{7}{12}, \frac{11}{12}$の循環節の長さはすべて1である。

分母が22のとき，$\frac{1}{22}, \frac{3}{22}, \frac{5}{22}, \frac{7}{22}, \frac{9}{22}, \frac{13}{22}, \frac{15}{22}, \frac{17}{22}, \frac{19}{22}, \frac{21}{22}$の循環節の長さはすべて2である。

すべての分数について，次のことがいえると知られている。

約分された分数では，分母が等しければ循環節の長さは等しい。

① 25までの真分数を調べると，一般の約分された分数の特徴が見えてくる。

7.6 「すぐに循環する分数」と「すぐには循環しない分数」

$\frac{1}{3}=0.333\cdots$のようにすぐに循環する分数もあれば，$\frac{1}{6}=0.1666\cdots$のように小数第1位の1は循環せず，小数第2位の6が循環する分数もある。

「すぐに循環する分数」と「すぐには循環しない分数」は

何がどう異なるのだろうか？　探究してみよう。

まず，すぐに循環する分数で，かつ分子が1のものに注目してみる。

$$\frac{1}{3}=0.\underline{3},\quad \frac{1}{7}=0.\underline{142857},\quad \frac{1}{9}=0.\underline{1},\quad \frac{1}{11}=0.\underline{09},$$

$$\frac{1}{13}=0.\underline{076923},\quad \frac{1}{17}=0.\underline{0588235294117647},$$

$$\frac{1}{19}=0.\underline{052631578947368421},\quad \frac{1}{21}=0.\underline{047619},$$

$$\frac{1}{23}=0.\underline{0434782608695652173913}$$

逆に，すぐには循環しない分数で，分子が1のものには次のようなものがある。

$\frac{1}{6}=0.1\underline{6}$（小数第2位から），$\frac{1}{12}=0.08\underline{3}$（小数第3位から），$\frac{1}{14}=0.0\underline{714285}$（小数第2位から），$\frac{1}{15}=0.0\underline{6}$（小数第2位から），$\frac{1}{18}=0.0\underline{5}$（小数第2位から），$\frac{1}{22}=0.0\underline{45}$（小数第2位から），$\frac{1}{24}=0.041\underline{6}$（小数第4位から）

すぐに循環する分数	すぐには循環しない分数	
$\frac{1}{3}$　$\frac{1}{7}$　$\frac{1}{9}$	$\frac{1}{6}$（小数第２位から）	$\frac{1}{12}$（小数第３位から）
$\frac{1}{11}$　$\frac{1}{13}$　$\frac{1}{17}$	$\frac{1}{14}$（小数第２位から）	$\frac{1}{15}$（小数第２位から）
$\frac{1}{19}$　$\frac{1}{21}$　$\frac{1}{23}$	$\frac{1}{18}$（小数第２位から）	$\frac{1}{22}$（小数第２位から）
	$\frac{1}{24}$（小数第４位から）	

分母を素因数分解してみると……？

それぞれの分母を素因数分解してみよう。

すぐに循環する分数では次のようになる。

$$3,\ 7,\ 9 = 3^2,\ 11,\ 13,\ 17,\ 19,\ 21 = 3 \times 7,\ 23$$

すぐには循環しない分数は次のようになる。

$$6 = 2 \times 3,\ 12 = 2^2 \times 3,\ 14 = 2 \times 7,\ 15 = 3 \times 5,$$
$$18 = 2 \times 3^2,\ 22 = 2 \times 11,\ 24 = 2^3 \times 3$$

素因数分解した結果，小数第何位から循環するかは，２と５の指数に関連しそうであることが予想できる。

次に，すぐには循環しない分数の循環節を取り出してみよう。

$\frac{1}{6}$は$\underline{6}$，$\frac{1}{12}$は$\underline{3}$，$\frac{1}{14}$は$\underline{714285}$，$\frac{1}{15}$は$\underline{6}$，$\frac{1}{18}$は$\underline{5}$，$\frac{1}{22}$は$\underline{45}$，$\frac{1}{24}$は$\underline{6}$

106〜108 ページの表から循環節が等しい分数を探してみると，$\frac{1}{6}$は$\frac{2}{3}$と，$\frac{1}{12}$は$\frac{1}{3}$と，$\frac{1}{14}$は$\frac{5}{7}$と，$\frac{1}{15}$は$\frac{2}{3}$と，$\frac{1}{18}$は$\frac{5}{9}$と，$\frac{1}{22}$は$\frac{5}{11}$と，$\frac{1}{24}$は$\frac{2}{3}$と，それぞれ等しいことがわかる。

循環節の取り出し方

分数を 10 倍して整数部分を取り出すことで，小数点以下に何が並ぶかが明瞭になる。たとえば$\frac{3}{7}$では，

$$\frac{3}{7} \times 10 = \frac{30}{7} = 4\frac{2}{7}$$

$$\frac{2}{7} \times 10 = \frac{20}{7} = 2\frac{6}{7}$$

$$\frac{6}{7} \times 10 = \frac{60}{7} = 8\frac{4}{7}$$

$$\frac{4}{7} \times 10 = \frac{40}{7} = 5\frac{5}{7}$$

$$\frac{5}{7} \times 10 = \frac{50}{7} = 7\frac{1}{7}$$

$$\frac{1}{7} \times 10 = \frac{10}{7} = 1\frac{3}{7}$$

で，もとの$\frac{3}{7}$が出てくる。整数部分に 428571 が並ぶ。

真分数を 10 倍して整数部分を取り出せば，それが小数第

1位の数である。10倍した分数から整数部分を除いてさらに10倍すれば，その整数部分が小数第2位である。

この操作を繰り返すことで，もとの分数に戻り，$\frac{3}{7}$の循環節が428571であることがわかる。

この手法を使って，すぐに循環する分数$\frac{5}{21}$に何が起こるかを確認してみよう。

$$\frac{5}{21} \times 10 = \frac{50}{21} = 2\frac{8}{21}$$

$$\frac{8}{21} \times 10 = \frac{80}{21} = 3\frac{17}{21}$$

$$\frac{17}{21} \times 10 = \frac{170}{21} = 8\frac{2}{21}$$

$$\frac{2}{21} \times 10 = \frac{20}{21}$$

$$\frac{20}{21} \times 10 = \frac{200}{21} = 9\frac{11}{21}$$

$$\frac{11}{21} \times 10 = \frac{110}{21} = 5\frac{5}{21}$$

上の6回の操作でもとの$\frac{5}{21}$に戻り，$\frac{5}{21}$の循環節が238095であるとわかる。また，すべての分数部分は分母が21のままであることが確認できる。

分母の素因数

次に，すぐには循環しない分数$\frac{1}{6}$を見てみよう。

$$\frac{1}{6}\times 10=\frac{10}{6}=1\frac{2}{3}$$

$$\frac{2}{3}\times 10=\frac{20}{3}=6\frac{2}{3}$$

と，$\frac{2}{3}$が続く。そして，小数第1位は1で，小数第2位以降は6が続くことがわかる。つまり，$0.1\underline{6}$である。

すぐに循環するときとは違い，6と異なる分母の3が現れた。また，循環節は$\frac{2}{3}$と等しい。

$\frac{1}{12}$ではどうだろうか。

$$\frac{1}{12}\times 10=\frac{10}{12}=\frac{5}{6}$$

$$\frac{5}{6}\times 10=\frac{50}{6}=8\frac{1}{3}$$

$$\frac{1}{3}\times 10=\frac{10}{3}=3\frac{1}{3}$$

と，$\frac{1}{3}$が続く。よって，$0.08\underline{3}$である。

$\dfrac{1}{14}$を見てみよう。

$$\frac{1}{14}\times 10=\frac{10}{14}=\frac{5}{7}$$

$$\frac{5}{7}\times 10=\frac{50}{7}=7\frac{1}{7}$$

$$\frac{1}{7}\times 10=\frac{10}{7}=1\frac{3}{7}$$

$$\frac{3}{7}\times 10=\frac{30}{7}=4\frac{2}{7}$$

$$\frac{2}{7}\times 10=\frac{20}{7}=2\frac{6}{7}$$

$$\frac{6}{7}\times 10=\frac{60}{7}=8\frac{4}{7}$$

$$\frac{4}{7}\times 10=\frac{40}{7}=5\frac{5}{7}$$

で，$\dfrac{5}{7}$に戻る。よって，$0.0\underline{714285}$ である。

このように，分母の素因数に２や５があると，10 倍して分母が変わる。

「すぐに循環する分数」と「すぐには循環しない分数」の特徴

$\dfrac{1}{6}$の小数第１位は，$\dfrac{10}{6}\left(=1\dfrac{2}{3}\right)$ の整数部分なので１である。小数第２位は，$\dfrac{20}{3}$ $\left(=6\dfrac{2}{3}\right)$ の整数部分なので６で

ある。よって，小数第 2 位から$\frac{2}{3}$の循環節 $\underline{6}$ で循環する。

$\frac{1}{12}$の小数第 1 位は，$\frac{10}{12}\left(=\frac{5}{6}\right)$ の整数部分なので 0 である。小数第 2 位は，$\frac{50}{6}\left(=8\frac{1}{3}\right)$ の整数部分なので 8 である。小数第 3 位は，$\frac{10}{3}\left(=3\frac{1}{3}\right)$ の整数部分なので 3 である。よって，小数第 3 位から$\frac{1}{3}$の循環節 $\underline{3}$ で循環する。

$\frac{1}{14}$の小数第 1 位は，$\frac{10}{14}\left(=\frac{5}{7}\right)$ の整数部分なので 0 である。小数第 2 位は，$\frac{50}{7}\left(=7\frac{1}{7}\right)$ の整数部分なので 7 である。よって，小数第 2 位から$\frac{5}{7}$の循環節 $\underline{714285}$ が続く。

$\frac{1}{15}$の小数第 1 位は，$\frac{10}{15}\left(=\frac{2}{3}\right)$ の整数部分なので 0 である。小数第 2 位は，$\frac{20}{3}\left(=6\frac{2}{3}\right)$ の整数部分なので 6 である。よって，小数第 2 位から$\frac{2}{3}$の循環節 $\underline{6}$ が続く。

次に，$\frac{1}{48}$を計算すると，

$$\frac{1}{48}=0.020833\cdots$$

である。小数第 5 位から循環が始まっている。

実際に，10倍して整数部分を取り出すと，$\frac{10}{48}=\frac{5}{24}$，$\frac{50}{24}=2\frac{1}{12}$，$\frac{10}{12}=\frac{5}{6}$，$\frac{50}{6}=8\frac{1}{3}$である。

$\frac{1}{60}$を計算すると，

$$\frac{1}{60}=0.01666\cdots$$

である。小数第3位から循環が始まっている。

実際に，10倍して整数部分を取り出すと，$\frac{10}{60}=\frac{1}{6}$，$\frac{10}{6}=1\frac{2}{3}$である。

分数	分母の素因数分解	循環が始まるところ	循環節が等しい分数
$\frac{1}{6}$	$6=2\times3$	小数第2位	$\frac{2}{3}$
$\frac{1}{12}$	$12=2^2\times3$	小数第3位	$\frac{1}{3}$
$\frac{1}{14}$	$14=2\times7$	小数第2位	$\frac{5}{7}$
$\frac{1}{15}$	$15=3\times5$	小数第2位	$\frac{2}{3}$
$\frac{1}{48}$	$48=2^4\times3$	小数第5位	$\frac{1}{3}$
$\frac{1}{60}$	$60=2^2\times3\times5$	小数第3位	$\frac{2}{3}$

分子を10倍していくと，分母の素因数から2と5がなくなり，素因数2と5がともになくなると循環が始まることを確認できる。分子が1でない約分された分数でも，同様

のことがいえる。

約分された分数$\frac{a}{b}$の分母bを素因数分解したときに現れる

2と5の指数のうち，大きいほうをnとすると，

小数第$n+1$位から循環が始まる。

$\frac{1}{9}$，$\frac{2}{9}$，$\frac{4}{9}$，$\frac{5}{9}$，$\frac{7}{9}$，$\frac{8}{9}$や$\frac{1}{21}$，$\frac{2}{21}$，$\frac{4}{21}$，$\frac{5}{21}$，$\frac{8}{21}$，$\frac{10}{21}$，$\frac{11}{21}$，$\frac{13}{21}$，$\frac{16}{21}$，$\frac{17}{21}$，$\frac{19}{21}$，$\frac{20}{21}$は，小数第1位から循環が始まった。これらの分数は，分母に2も5も素因数としてもたない。

上の法則は，2と5の指数がない場合は，指数のうち大きいほうを0と見ると，どんな分数でも成り立つ。

分母を2倍や5倍しても，循環節の長さは変わらないこともわかる。たとえば，3に何回か2や5をかけた分母の小数表示は，$\frac{1}{3}$や$\frac{2}{3}$と同じで循環節の長さは1である。

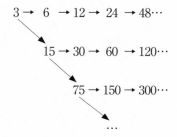

3 → 6 → 12 → 24 → 48…

↘

15 → 30 → 60 → 120…

↘

75 → 150 → 300…

↘

…

上記の列にある数が分母で約分された分数は，どれも循環節の長さが１である。

ⓘ 素因数分解をして特徴をつかむと，小数第何位から循環が始まるかが見えてくる。

7.7 循環節の長さ

分子が１の分数について，循環節の長さをまとめてみよう。

分母	2	3	4	5	6	7	8	9	10
長さ	有限	1	有限	有限	1	6	有限	1	有限
11	12	13	14	15	16	17	18	19	20
2	1	6	6	1	有限	16	1	18	有限

前節では，分母の素因数に２や５があると，その素因数の数は循環しない部分に対応することを確認した。$\frac{1}{6}$は６を２で割って３なので，分母が３の循環節 $\left(\frac{2}{3}\right)$ と対応する。$\frac{1}{15}$は15を５で割って３なので，分母が３の循環節 $\left(\frac{2}{3}\right)$ と対応する。

次に，２や５を約数にもたない数に限って，分子が１の分数の循環節の長さを見てみよう。

分母	3	7	9	11	13	17	19	21	23	27	29
長さ	1	6	1	2	6	16	18	6	22	3	28
31	33	37	39	41	43	47	49	51	53	57	59
15	2	3	6	5	21	46	42	16	13	18	58
61	63	67	69	71	73	77	79	81	83	87	89
60	6	33	22	35	8	6	13	9	41	28	44
91	93	97	99	101	103	107	109	111	113	117	119
6	15	96	2	4	34	53	108	3	112	6	48

表中にアミをかけた素数に着目すると，循環節の長さが「その数マイナス1」になっているものが多く見られる。7, 17, 19, 23, 29, 47, 59, 61, 97, 109, 113である。

このような素数が無数に存在するかどうかは，未解決問題である。

未解決問題

素数pで，$\dfrac{1}{p}$の循環節の長さが$p-1$であるものは無限に存在するか。

他の循環節の長さは，素数マイナス1の約数である。これは，一般に成り立つことが知られている。

素数pに対して，$\dfrac{1}{p}$の循環節の長さは$p-1$の約数である。

合成数では，分母マイナス1の約数が循環節の長さではないものが見られる。たとえば，$21-1=20$だが，$\dfrac{1}{21}$の循環節の長さは6である。

合成数を含めると，$\dfrac{1}{n}$の循環節の長さは「n 未満で n と共通の約数が１のみの数の個数」の約数であることが知られている。

オイラー関数

前項末で登場した「n 未満で n と共通の約数が１のみの数の個数」を求める方法を紹介する。

たとえば，９は $1, 2, 4, 5, 7, 8$ の６個である。６は９と共通の約数３をもつので数えない。

他の例として，12 は $1, 5, 7, 11$ の４個であり，21 は $1, 2, 4, 5, 8, 10, 11, 13, 16, 17, 19, 20$ の 12 個である。素数７は $1, 2, 3, 4, 5, 6$ の６個であり，素数 p では $p-1$ 個である。

「n 未満で n と共通の約数が１のみの数の個数」は，「オイラー関数」によって求められることが知られている。

オイラー関数

nの素因数を$p_1, p_2, \cdots, p_n$とし，$p_1, p_2, \cdots, p_n$は
すべて異なるとする。
このとき，n未満でnと共通の約数が1のみの数の個数は

$$n\times\left(1-\frac{1}{p_1}\right)\times\left(1-\frac{1}{p_2}\right)\times\cdots\times\left(1-\frac{1}{p_n}\right)$$

である。

具体例で見ていこう。

素数７の素因数は７のみなので，７未満で７と共通の約数が１のみの数の個数は，

$$7 \times \left(1 - \frac{1}{7}\right) = 6$$

と求められる。先ほど求めた数と同じである。

素数 p では $p-1$ 個と求められる。

合成数である 12 の素因数は 2 と 3 なので，12 未満で 12 と共通の約数が 1 のみの数の個数は，

$$12 \times \left(1 - \frac{1}{2}\right) \times \left(1 - \frac{1}{3}\right) = 4$$

と求められる。これも先ほど求めた数と同じである。

同じく合成数である 21 の素因数は 3 と 7 なので，21 未満で 21 と共通の約数が 1 のみの数の個数は，

$$21 \times \left(1 - \frac{1}{3}\right) \times \left(1 - \frac{1}{7}\right) = 12$$

と求められる。先ほど求めた数と同じである。

合成数の場合は，その数未満でその数と共通の約数が 1 のみの個数を求め，循環節の長さと比べよう。

数	9	21	27	33	39	49	51	57
長さ	1	6	3	2	6	42	16	18
約数が1のみの個数	6	12	18	20	24	42	32	36
数	63	69	77	81	87	91	93	99
長さ	6	22	6	9	28	6	15	2
約数が1のみの個数	36	44	60	54	56	72	60	60

素数の場合を含めて，次のことがいえる。

2と5を約数にもたない自然数 n に対して，

$\frac{1}{n}$ の循環節の長さは n 未満で，n と共通の約数が1のみの

数の個数の約数である。

(!) $\frac{1}{n}$ の循環節の長さは上記の数に限られるとわかるが，意外にも簡単な公式のようなものは知られていない。

7.8 何乗かした数の循環節の長さ

分母を2倍や5倍しても，分子が1の分数の循環節の長さは変わらない。たとえば，3を2倍や5倍した6や15を考えても，$\frac{1}{6}$も$\frac{1}{15}$も循環節の長さは$\frac{1}{3}$と同じ1である。

そこで，3倍や7倍をすると，循環節の長さがどう変化するかを見てみよう（表計算ソフトを使った計算方法については巻末コラム参照）。

3を3倍していくと，3→9→27→81となる。循環節の長さは，1→1→3→9である。

9からは循環節も3倍されていることが気になるので，さらに3倍していった243，729，2187の循環節の長さを調べてみると，27→81→243と3倍されていることがわかる。

分母	3	$9=3^2$	$27=3^3$	$81=3^4$	$243=3^5$	$729=3^6$	$2187=3^7$
長さ	1	1	3	9	27	81	243

次に，7を7倍していくと，次のようになる。

分母	7	$49=7^2$	$343=7^3$	$2401=7^4$	$16807=7^5$
長さ	6	42	294	2058	14406

素数pを何乗かしていくと，あるところからは循環節の長さがp倍されていくことが知られている。この現象についての証明は，『素数はめぐる』（西来路文朗・清水健一著，講談社ブルーバックス，2017）に詳しい（同書のp.147参照）。

① 素数pを何乗かしていくと，循環節の長さがいくらでも長い分数が存在することがわかる。

7.9 「余りの列」を可視化する

7.1節では$\frac{1}{7}$の余りに着目し，余りが1になれば，循環節の長さを求めることができることを示した。

ここでは，余りが1になるまでの余りの変化を折れ線グラフで見てみよう。まず，素数である7, 13, 17, 19の場合を次に示す。

$\frac{1}{7}$	3	2	6	4	5	1												
$\frac{1}{13}$	10	9	12	3	4	1												
$\frac{1}{17}$	10	15	14	4	6	9	5	16	7	2	3	13	11	8	12	1		
$\frac{1}{19}$	10	5	12	6	3	11	15	17	18	9	14	7	13	16	8	4	2	1

$\frac{1}{7}$

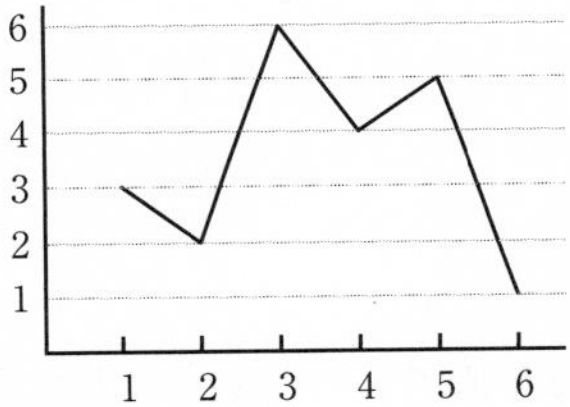

$\frac{1}{13}$

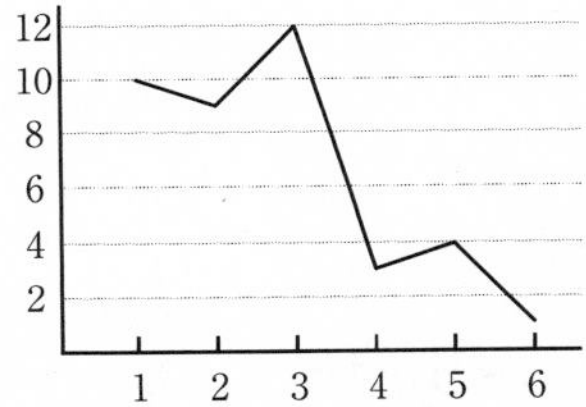

$\frac{1}{17}$

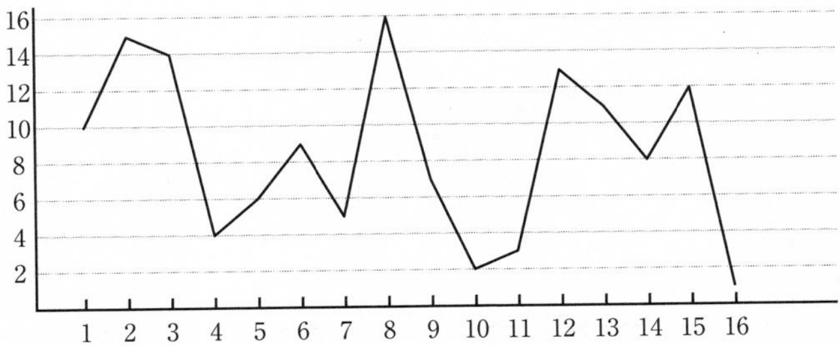

$\frac{1}{19}$

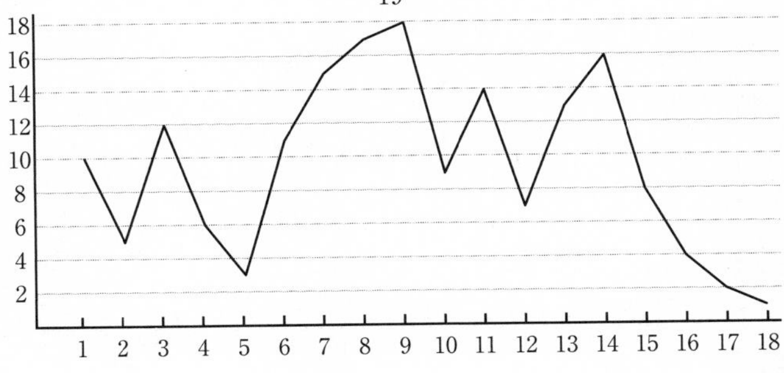

折れ線グラフはいずれも，かなり不規則であり，循環節の長さを求めることの難しさが伝わってくる。

次に，27(3^3)，81(3^4)，243(3^5)，729(3^6) が分母となっている分数の余りをグラフにしてみる。3と9は循環節の長さが1なのでグラフには示さない。243や729では，規則的な上下があるように感じられる。

⚠ グラフに表すと，規則性があるかのような不規則な折れ線が現れて神秘的である。

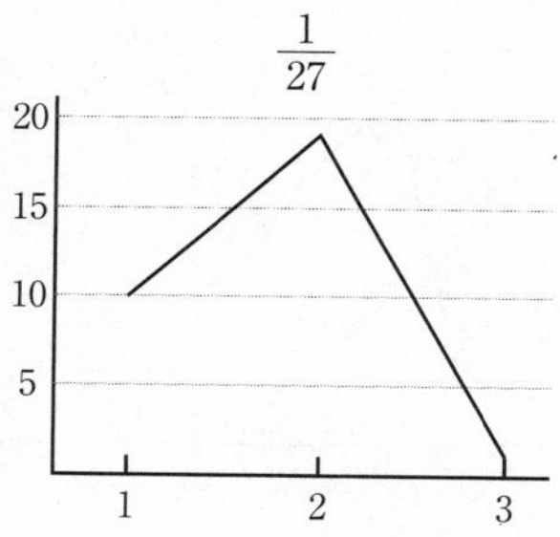

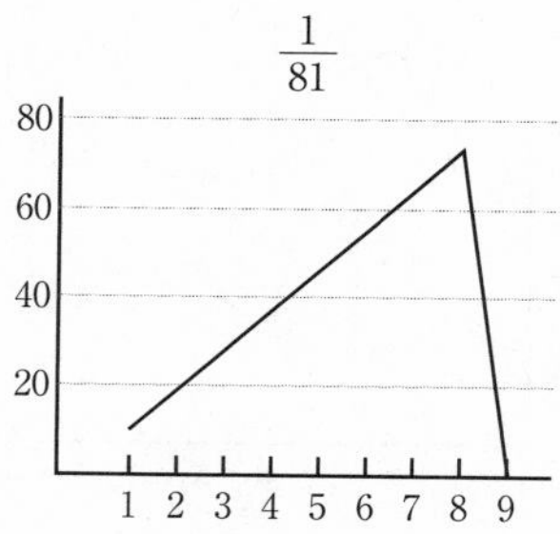

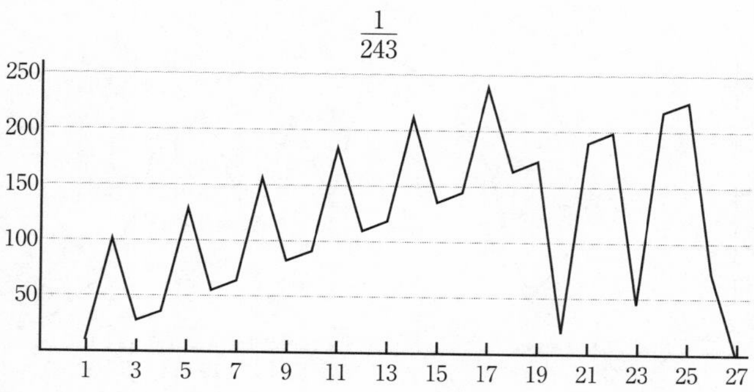

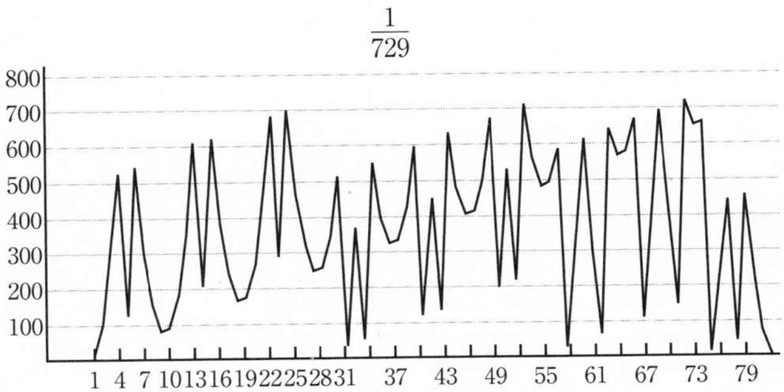

7.10 分数を図式化する

2013 年から，「算数・数学の自由研究」という小学生・中学生・高校生が数学に関する研究を応募するコンテストが開催されている（理数教育研究所主催）。入賞作品はホームページに掲載されていて，誰でも簡単に見ることができる（https://www.rimse.or.jp/research/index.html）。

2015 年度の文部科学大臣賞の「数を形に表す」という作品では，$\frac{1}{7}=0.142857\cdots$という分数を右のような図形で表している。

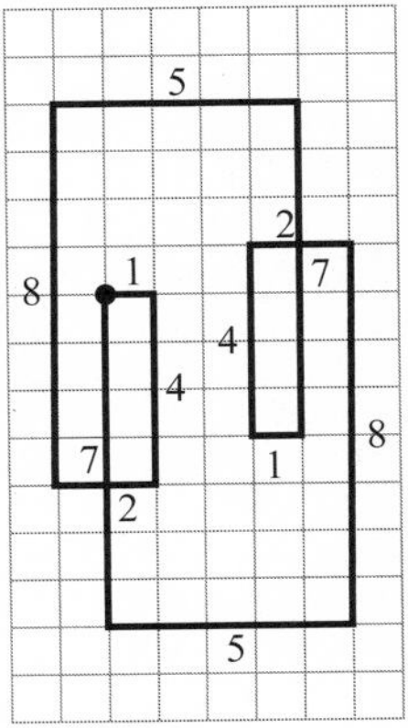

正方形が並んだ方眼紙上に始点を定め，小数点以下に現れる数にしたがって，右へ 1，下へ 4，左へ 2，上へ 8，右へ 5，下へ 7，左へ 1，上へ 4，右へ 2，下へ 8，左へ 5，上へ 7 と進むと，始点に戻ってくる。ちゃ

んと始点に戻ってくる点が，とても不思議である。

この方法を使って，$\frac{1}{3} = 0.333\cdots$，$\frac{1}{4} = 0.25$，$\frac{1}{5} = 0.2$，$\frac{1}{6} = 0.1666\cdots$を表したのが次の図である。

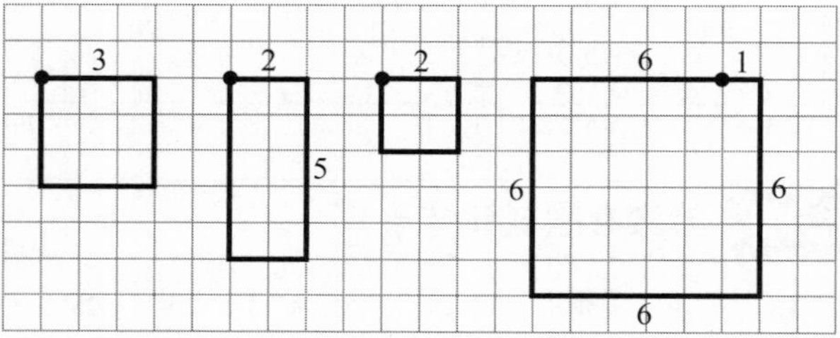

$\frac{1}{4}$は有限小数なので2と5を繰り返し，$\frac{1}{5}$は2を繰り返す。$\frac{1}{6}$は始点に戻ってこない。

また，正三角形が並ぶ三角方眼紙でも，同様の発想による図が描かれている。$\frac{1}{4}$と$\frac{1}{7}$を例示すると，次ページの上に示すような図形が描かれる。

$\frac{3}{11} = 0.27\cdots$，$\frac{4}{11} = 0.36\cdots$も描くと，次ページの下のようになる。

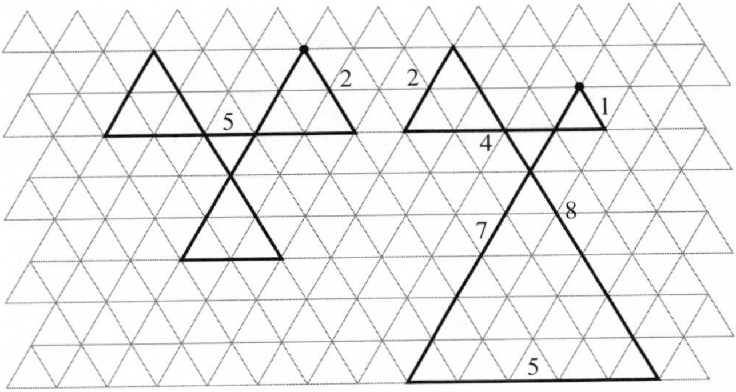

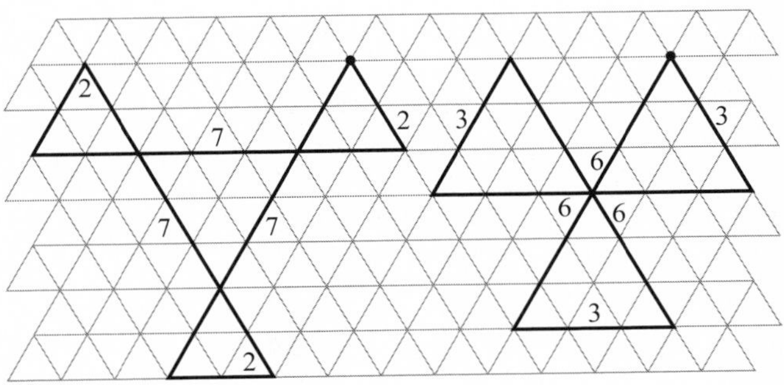

分数からさまざまな図形が描かれて面白いので，ぜひ他の数でも実際に手を動かして確かめてみてほしい。

① 分数の小数表示によって現れる循環節の「循環する」という性質は，図示することで視覚的に捉え直すことができる。「数」と「図」の関係を捉えるセンスを磨くにも好適の素材である。

第8章 「数の操作」の探究で磨く

——「渦」型か，「樹木」型か

中学2年生では，数に次のような操作をして未知の性質を見出し，文字式を使って証明することを学ぶ。

まず，好きな2桁の自然数を書き，その10の位の数と1の位の数を入れ替えてできる数との和を求める。

$$42 + 24 = 66,\ 17 + 71 = 88,\ 87 + 78 = 165,$$
$$99 + 99 = 198,\ 39 + 93 = 132$$

これらの数にはどんな特徴があるだろうか？

じつは，どれも11の倍数になっている。

$$42 + 24 = 6 \times 11,\ 17 + 71 = 8 \times 11,\ 165 = 15 \times 11,$$
$$198 = 18 \times 11,\ 132 = 12 \times 11$$

定理

2桁の自然数と，その10の位の数と1の位の数を入れ替えてできる数との和は，11と各桁の数の和をかけた数である。

なぜ11の倍数になるのだろうか。証明を考えてみよう。

2桁の自然数を$10a+b$と表すと，10の位の数と1の位の数を入れ替えてできる数は$10b+a$で表される。
これらを足すと，$(10a+b)+(10b+a)=11(a+b)$である。

よって，各桁の数の和と11をかけた数である。

0 が含まれる数，たとえば 10 や 90 でも，$10 + 1 = 11$，$90 + 9 = 99$ のように同じことがいえる。

出てくる数は，$a + b$ に 11 をかけた数なので，

11, 22, 33, 44, 55, 66, 77, 88, 99, 110, 121, 132, 143, 154, 165, 176, 187, 198

のいずれかである。

次に，2 桁の自然数の 10 の位の数と 1 の位の数を入れ替えてできる数との差（大きい数から小さい数を引く）を考えてみよう。

実際にいくつか試してみると，以下のようになる。何か特徴が見出せるだろうか。

$$92 - 29 = 63,\ \ 42 - 24 = 18,\ \ 83 - 38 = 45,$$
$$87 - 78 = 9,\ \ 99 - 99 = 0$$

0 は，9×0 とみれば 9 の倍数なので，すべて 9 の倍数であることに気づく。

定理

2桁の自然数と，その10の位の数と1の位の数を入れ替えてできる数との差は，9の倍数である。

なぜ 9 の倍数になるのか。こちらも証明を考えてみよう。

2桁の自然数を$10a+b$と表し，$a \geqq b$とする。
10の位の数と1の位の数を入れ替えてできる数は，
$10b+a$で表される。

これらの差をとると，$(10a+b)-(10b+a)=9(a-b)$である。
よって，9の倍数である。

証明を見ると，9にaとbの差をかけた数であることもいえるとわかる。92は9と2の差が7なので，$9 \times 7 = 63$が差に現れた。

出てくる数は，$a - b$に9をかけた数なので，0, 9, 18, 27, 36, 45, 54, 63, 72, 81のいずれかである。

この章では，数に対してこのような操作を繰り返したり，桁を増やしたり，バリエーションを変えたりした操作をおこなうことについて考えてみよう。

また，そのプロセスを図にすることで，その性質やふるまいを視覚的に捉えることにも挑みたい。これもまた，「数」と「図形」に対する感覚を研ぎ澄ますための格好のトレーニングになる。

この章のポイントは，次の4つである。

- **2桁の数や3桁の数のそれぞれの位の数の「和をとる」操作を繰り返すと何が起こるか。**
- **2桁の数や3桁の数の「差をとる」操作を繰り返すと何が起こるか。**
- **2桁の数や3桁の数を入れ替えると何が起こるか。**
- **「数を他の数に対応させる」操作を繰り返すと何が起こるか。**

8.1 「和をとる」操作を繰り返す

2桁の自然数と，その10の位の数と1の位の数を入れ替えてできる数との和は，

11, 22, 33, 44, 55, 66, 77, 88, 99, 110, 121, 132, 143, 154, 165, 176, 187, 198

である。これらに，もう一度同じ操作を繰り返してみよう。

3桁の数では，100の位と1の位を入れ替えてできる数との和をとる。4桁の数では，1000の位の数と1の位の数，100の位の数と10の位の数をそれぞれ入れ替えてできる数との和をとる。以降，桁が増えても同様の操作をおこなう。このような操作を「ひっくり返して足す」操作とよぶことにしよう。

11 → 22，22 → 44，33 → 66，44 → 88，55 → 110，
66 → 132，77 → 154，88 → 176，99 → 198，110 → 121，
121 → 242，132 → 363，143 → 484，154 → 605，165 → 726，
176 → 847，187 → 968，198 → 1089

現れた数のうち，

11, 22, 33, 44, 55, 66, 77, 88, 99, 121, 242, 363, 484

は，右の桁から読んでも左の桁から読んでも同じ数であり，回文数である（第3章3.2節参照）。そこで，次のような新たな疑問が生まれる。

どの2桁の数も，「ひっくり返して足す」操作を繰り返すと，回文数になるのか？

これまでの計算に加え，もう少し計算を進めた結果を次

の表にまとめる（列は「ひっくり返して足す」操作をおこなう数を，行は操作の結果現れる数を示している）。

110	121					
132	363					
143	484					
154	605	1111				
165	726	1353	4884			
176	847	1595	7546	14003	44044	
187	968	1837	9218	17347	91718	173437
198	1089	10890	20691	40293	79497	

187 は，ひっくり返して足す操作を 6 回おこなっても回文数に到達しないが，23 回おこなうと回文数に到達する。

173437 → 907808 → 1716517 → 8872688
→ 17735476 → 85189247 → 159487405
→ 664272356 → 1317544822 → 3602001953
→ 7193004016 → 13297007933 → 47267087164
→ 93445163438 → 176881317877 → 955594506548
→ 1801200002107 → 8813200023188

したがって，すべての 2 桁の数は回文数に到達することが示された。

① 和をとる操作は徐々に数が大きくなっていくため，法則がなさそうに見えるが，繰り返していくと回文数が現れることが発見できる。

8.2 3桁の数ではどうなる？

3 桁の数に対して「ひっくり返して足す」操作をおこな

うと，どうなるだろう。

たとえば，674 は 674 + 476 = 1150，226 は 226 + 622 = 848，345 は 345 + 543 = 888，132 は 132 + 231 = 363，479 は 479 + 974 = 1453，918 は 918 + 819 = 1737，900 は 900 + 9 = 909 である。

なんらかの特徴をもつ数が出てくる気がしない。

文字式で計算して確認してみると，

$$100a + 10b + c + (100c + 10b + a) = 101a + 20b + 101c$$

であり，何かの倍数という性質はなさそうである。

しかし，和が 3 桁である数（848, 888, 363, 909）に着目すると，これらの数はいずれも回文数になっている。

回文数でない 1150 に対して「ひっくり返して足す」操作，すなわち 1000 の位の数と 1 の位の数，100 の位の数と 10 の位の数をそれぞれ入れ替えてできる数 511 を足すと，1150 + 511 = 1661 で回文数になる。

同様に，回文数でない数をひっくり返して足していく。1453 は，1453 + 3541 = 4994 で回文数になる。1737 は，1737 + 7371 = 9108 で回文数にならないが，さらにひっくり返して足していくと，9108 + 8019 = 17127，17127 + 72171 = 89298 で回文数に行き着く。

じつは，この問題も未解決問題として知られている。

未解決問題

どの数も「ひっくり返して足す」操作を繰り返すと，
回文数になるか。

3 桁では，196 が回文数に到達するかどうかがいまだわかっておらず，「196 問題」とよばれている。数十億回の操作でもまだ回文数に到達しない難物である。

(!) 「和をとる」というシンプルな操作も，3 桁の数で考えれば興味深い未解決問題にたどり着く。

8.3 「差をとる」操作を繰り返す

2 桁の自然数の 10 の位の数と 1 の位の数を入れ替えてできる数との差は，0, 9, 18, 27, 36, 45, 54, 63, 72, 81 のいずれかである。0 は $0-0=0$ なので，ここでは除いて考える。また，0 はぞろ目の数からのみ現れる。

9 に対して，この操作を繰り返してみよう。

$$90-9=81,\ 81-18=63,\ 63-36=27,$$
$$72-27=45,\ 54-45=9$$

で，9 に戻ってくる。この 5 回の操作を図示したものが，次の左図である。5 つの数字が「渦」を巻くように，サイクルを描いている。

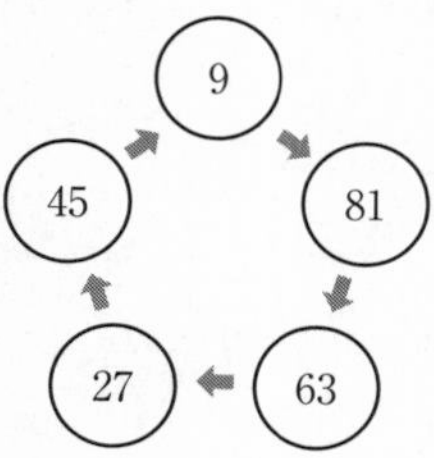

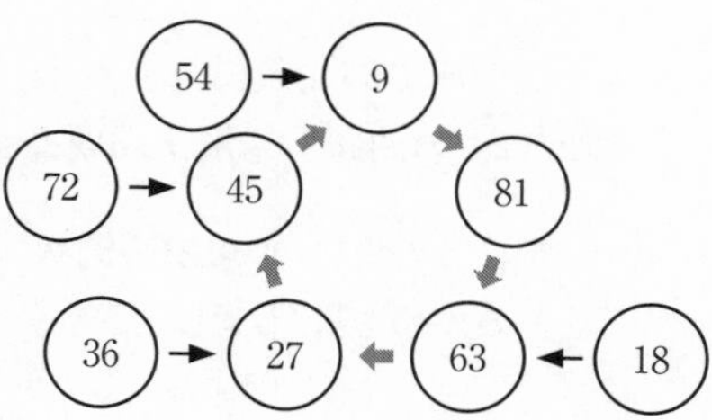

このサイクルに現れない数は，18, 36, 54, 72 である。これらの数は，一度の操作でこのサイクルに吸い込まれる。

数字の並びを気にしなければ，9 と 90，18 と 81，36 と 63，27 と 72，45 と 54 は同じと見なすことができる（前ページの右図参照）。

(!) ぞろ目以外の2桁の数は，どれも渦のサイクル（9，81，63，27，45）に吸い込まれる。

8.4 3桁の数を「ひっくり返して差をとる」操作

3 桁の数では，100 の位と 1 の位を入れ替えてできる数との差をとる。このような「ひっくり返して差をとる」操作を繰り返すとどうなるだろうか。文字式で考えてみよう。

$$100a + 10b + c - (100c + 10b + a) = 99(a - c)$$

$a = c$ の場合のみ，0 になる。すなわち，回文数のときは 0 になることがわかる。

他は 99 の倍数で 99, 198(99 × 2)，297(99 × 3)，396(99 × 4)，495(99 × 5)，594(99 × 6)，693(99 × 7)，792(99 × 8)，891(99 × 9)となっている。

99 に「ひっくり返して差をとる」操作を繰り返すと，次のようになる。

$$|99 - 990| = 891,\quad |891 - 198| = 693,$$
$$|693 - 396| = 297,\quad |297 - 792| = 495,$$
$$|495 - 594| = 99$$

このサイクルを先と同じ「渦」の図に描いたものが次図である。

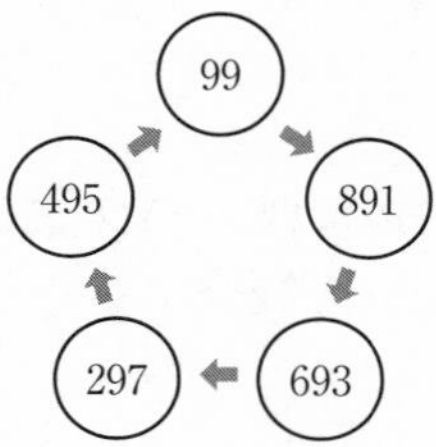

このサイクルに現れない数は，198, 396, 594, 792 である。これらの数は，一度の操作でこのサイクルに吸い込まれる。

① ぞろ目以外の3桁の数は，どれも渦のサイクル（99，891，693，297，495）に吸い込まれる。

8.5 3桁の数の3つの数を入れ替えてみる

操作を少し変えて，3 桁の数の 3 つの数を大きい順に並べたものから小さい順に並べたものを引く操作を探究してみよう。

たとえば，674 は 764 − 467 = 297，226 は 622 − 226 = 396，345 は 543 − 345 = 198，132 は 321 − 123 = 198，479 は 974 − 479 = 495，918 は 981 − 189 = 792，900 は 900 − 9 = 891 といった操作である。

どの数も 10 の位が 9 であり，かつ 9 の倍数であることに気づく。なぜそうなるのだろうか。

文字式で確認してみよう。$a \geqq b \geqq c$ とすると，

$$100a + 10b + c - (100c + 10b + a) = 99a - 99c$$
$$= 99(a - c)$$

であり，9の倍数にとどまらず，99の倍数であることがわかる。ぞろ目のとき（$a = b = c$）だけは0である。

99の倍数は，99, 198(99 × 2)，297(99 × 3)，396(99 × 4)，495(99 × 5)，594(99 × 6)，693(99 × 7)，792(99 × 8)，891(99 × 9)，990(99 × 10) なので，どれも10の位が9である。

実際には，aとcの差は9までなので，891までしか出てこない。

aとcの差が1のときは99である。よって，322, 334, 677のように，差が1の2数でできた数のみが，引く（差をとる）操作で99になる。

操作を繰り返すと……？

3桁の数の3つの数を大きい順に並べたものから小さい順に並べたものを引く操作を繰り返してみよう。

1回の操作で99, 198, 297, 396, 495, 594, 693, 792, 891のいずれかになるので，これらの数に同じ操作をおこなう。

99は990 − 99 = 891，198と891は981 − 189 = 792，297と792は972 − 279 = 693，396と693は963 − 369 = 594，495と594は954 − 459 = 495である。

495は，自分自身に移る。

3桁の数では2桁のように「渦」にはならず，ぞろ目を除いて，すべて495に移ることがわかる。

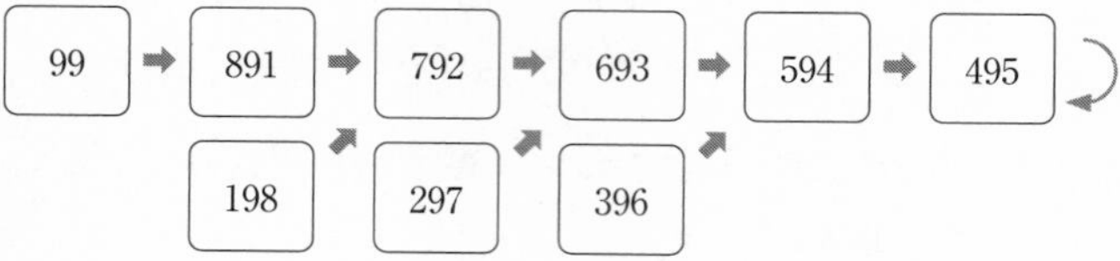

(!) 差のとり方を「大きい順から小さい順を引く」に変えると，495のみに収束するようになる。

8.6 4桁の数の4つの数を入れ替えると……？

こんどはさらに桁を増やし，4桁の数の4つの数を大きい順に並べたものから小さい順に並べたものを引く操作を考察しよう。この操作は，「カプレカ操作」として知られている。第4章で登場したカプレカ数と同様に，インド人数学者，カプレカルにちなんだものである。

たとえば，2674は $7642 - 2467 = 5175$，5226は $6522 - 2256 = 4266$，5221は $5221 - 1225 = 3996$，3456は $6543 - 3456 = 3087$，1234は $4321 - 1234 = 3087$，1000は $1000 - 1 = 999$ である。2桁や3桁のときと同じように，9の倍数であることに気づく。

文字式で確認してみよう。$a \geqq b \geqq c \geqq d$ とすると，

$$\begin{aligned} &1000a + 100b + 10c + d - (1000d + 100c + 10b + a) \\ &= 999a + 90b - 90c - 999d \\ &= 999(a - d) + 90(b - c) \\ &= 9(111a + 10b - 10c - 111d) \end{aligned}$$

であり，確かに９の倍数であることがわかる。また，$b=c$ のときは999の倍数であることもわかる。

$a-d$ と $b-c$ は，それぞれ０から９をとるので，一度の操作で現れる数は次の表にまとめられる。

$a-d$ ＼ $b-c$	0	1	2	3	4	5	6	7	8	9
0	0	90	180	270	360	450	540	630	720	810
1	999	1089	1179	1269	1359	1449	1539	1629	1719	1809
2	1998	2088	2178	2268	2358	2448	2538	2628	2718	2808
3	2997	3087	3177	3267	3357	3447	3537	3627	3717	3807
4	3996	4086	4176	4266	4356	4446	4536	4626	4716	4806
5	4995	5085	5175	5265	5355	5445	5535	5625	5715	5805
6	5994	6084	6174	6264	6354	6444	6534	6624	6714	6804
7	6993	7083	7173	7263	7353	7443	7533	7623	7713	7803
8	7992	8082	8172	8262	8352	8442	8532	8622	8712	8802
9	8991	9081	9171	9261	9351	9441	9531	9621	9711	9801

$a \geqq b \geqq c \geqq d$ なので，$a-d$ は $b-c$ 以上である。よって，実際に出てくる数は次のようになる。

$a-d$ ＼ $b-c$	0	1	2	3	4	5	6	7	8	9
0	0									
1	999	1089								
2	1998	2088	2178							
3	2997	3087	3177	3267						
4	3996	4086	4176	4266	4356					
5	4995	5085	5175	5265	5355	5445				
6	5994	6084	6174	6264	6354	6444	6534			
7	6993	7083	7173	7263	7353	7443	7533	7623		
8	7992	8082	8172	8262	8352	8442	8532	8622	8712	
9	8991	9081	9171	9261	9351	9441	9531	9621	9711	9801

この表中にある数に対し，同様の操作をおこなっていこう。

2桁のように「渦」ができるか，あるいは3桁のように495のような数に到達していくのか。いくつか具体的に計算してみよう。

たとえば，5175は，

$$7551 - 1557 = 5994, 9954 - 4599 = 5355,$$
$$5553 - 3555 = 1998, 9981 - 1899 = 8082,$$
$$8820 - 288 = 8532,\ 8532 - 2358 = 6174,$$
$$7641 - 1467 = 6174$$

となって，6174は自分自身に移る。

4266は，$6642 - 2466 = 4176$，$7641 - 1467 = 6174$で，5175同様に6174に到達する。

ひょっとすると，4桁のぞろ目以外の数は6174に到達するのだろうか。この予想に立って，考察を進めよう。

「樹形図」にまとめてみる

結論を先にいえば，どの数も6174に到達する。

なぜそのような現象が起こるのか？　証明を考えていこう。

先ほどの表を見返すと，$a - d = b - c = 1$，$a - d = 9$かつ$b - c = 1$，$a - d = b - c = 9$は，どれも「1, 0, 8, 9」を並べた数であることに気づく。

同じように，$a - d = 8$かつ$b - c = 3$，$a - d = 8$かつ$b - c = 7$は，「2, 2, 6, 8」を並べた数である。6174は$a - d = 6$，$b - c = 2$である。

$a-d$ ＼ $b-c$	0	1	2	3	4	5	6	7	8	9
0	0									
1	999	1089								
2	1998	2088	2178							
3	2997	3087	3177	3267						
4	3996	4086	4176	4266	4356					
5	4995	5085	5175	5265	5355	5445				
6	5994	6084	6174	6264	6354	6444	6534			
7	6993	7083	7173	7263	7353	7443	7533	7623		
8	7992	8082	8172	8262	8352	8442	8532	8622	8712	
9	8991	9081	9171	9261	9351	9441	9531	9621	9711	9801

並べ替えると同じになる数を１つだけ残して消していくと，0を除いて次の数のみが残る。残った30個を調べてみよう。

$a-d$ ＼ $b-c$	0	1	2	3	4	5	6	7	8	9
0										
1	999									
2										
3										
4										
5		5085	5175	5265	5355	5445				
6	5994	6084	6174	6264	6354	6444				
7	6993	7083	7173	7263	7353	7443				
8	7992	8082	8172	8262	8352	8442				
9	8991	9081	9171	9261	9351	9441				

$a-d$ と $b-c$ の値で同じ数を並べているものをまとめると，次が等しくなることがわかる。$a-d$ ＼ $b-c$ で表記する。たとえば6＼4に6＼6と4＼4が入っているのは，どれも同じ6, 3, 5, 4が並んでいるからである。

	0	1	2	3	4	5
1	1＼0					
5		–	–	–	–	–
6	5＼0	4＼1	4＼2	4＼3	6＼6, 4＼4	–
7	4＼0	3＼1	3＼2	7＼7, 3＼3	7＼6	–
8	3＼0	2＼1	8＼8, 2＼2	8＼7	8＼6	–
9	2＼0	9＼9, 1＼1	9＼8	9＼7	9＼6	–

さらに，もう一度操作をした後の行く先をまとめると，次のようになる。たとえば，1＼0は999に行くので，$a = b = c = 9$，$d = 0$で9＼0である。5＼3は5265に行くので，$a = 6$，$b = c = 5$，$d = 2$で4＼0より7＼0である。

	0	1	2	3	4	5
1	9＼0					
5		8＼0	6＼0	7＼0 (4＼0)	9＼0 (2＼0)	9＼1 (1＼1)
6	5＼4	8＼2	6＼2	6＼2 (4＼2)	7＼1 (3＼1)	9＼0 (2＼0)
7	6＼3	8＼4	6＼4	5＼3	6＼2 (4＼2)	7＼0 (4＼0)
8	7＼2	8＼4 (8＼6)	7＼5	6＼4	6＼2	6＼0
9	8＼1	9＼3 (9＼7)	8＼4 (8＼6)	8＼4	8＼2	8＼0

これを，次に示すような「樹形図」にまとめてみよう。

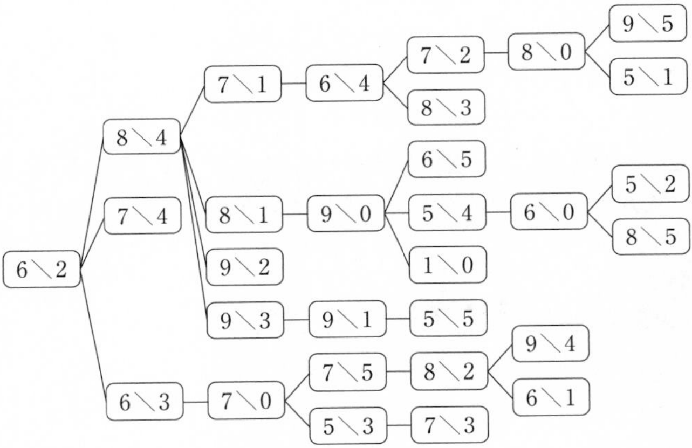

どの数も，6174 に行き着くことが確認できる。

この樹形図を使えば，何回の操作で 6174 に到達するかを読み取ることができる。ただし，7＼4 または 6＼3 を経由する場合は 6174 ではなく，順序の異なる 4176 を経て 6174 に到達するので注意する。

たとえば 9245 は，$a-d=7$，$b-c=1$ なので，

7＼1　→　8＼4　→　6＼2
(9245 → 7083 → 8352)

で，6＼2 のときは 8352 なので，もう一度操作をして，6174 になる。つまり，3 回で 6174 に行き着く。

また，7213 は 6＼1 なので，

6＼1　→　8＼2　→　7＼5　→　7＼0
→　6＼3　→　6＼2
(7213 → 6084 → 8172 → 7443 → 3996 → 6264)

ここで，7443は4＼0を7＼0，6264は4＼2を6＼2と同じと見ている。6264は4176となり，6174に到着する。つまり，7回で6174に行き着く。

(!) 大小の順に並べ替えて差をとる操作は，（ぞろ目を除く）4桁の数でも1つの数6174に収束する。

8.7 「コラッツ算」とはなにか

ある数を他の数に対応させる操作として，「コラッツ算」というものが知られている。

2で割れる自然数，すなわち偶数は2で割り，2で割り切れない自然数，すなわち奇数は3倍して1を足すという操作で，ドイツの数学者，ローター・コラッツ（1910～1990）にちなんだ名称である。

具体例で見ていこう。

2のときは，2→1→3×1＋1＝4→2→1である。1になると，1→4→2→1というループに入ることがわかる。

3のときは，3→3×3＋1＝10→5→5×3＋1＝16→8→4→2→1である。2を何乗かした数（2, 4, 8, 16, 32, 64, 128…）になると，2で割り続けることができて，1に到達する。

4, 5は，2と3の操作で出てきたので，6, 7を見てみよう。

6→3→3×3＋1＝10→5→5×3＋1＝16
　→8→4→2→1

7→7×3＋1＝22→11→11×3＋1＝34

$\to 17 \to 17 \times 3 + 1 = 52 \to 26 \to 13 \to 13 \times 3 + 1 = 40$
$\to 20 \to 10 \to 5 \to 5 \times 3 + 1 = 16 \to 8 \to 4 \to 2 \to 1$

7 は一度は 52 まで大きくなるが，最後は 1 に行き着く。

コラッツは，この操作によって，どの数も 1 に到達すると予想したが，今のところ，誰もこのことを示せていない。

未解決問題
どの自然数もコラッツ算を繰り返しおこなうと，1に到達する。

8.8 コラッツ算の探究

偶数の場合は 2 で割り，奇数の場合は 3 倍して 1 を足すのがコラッツ算である。

それでは，奇数の場合の操作を 4 倍にしたり，2 を足したりするなどに変更するとどうなるだろうか（表計算ソフトによる計算方法については巻末コラム参照）。

たとえば，「4 倍して 1 を足す」に変えると，3 は $3 \times 4 + 1 = 13$，13 は $13 \times 4 + 1 = 53$ で，奇数しか出てこないので増え続けることになる。

こんどは「5 倍して 1 を足す」に変えてみよう。3 は $3 \times 5 + 1 = 16$，$16 = 2^4$ なので，いずれも 1 に到達する。

次に，5 は $5 \times 5 + 1 = 26$，$26 \div 2 = 13$，$13 \times 5 + 1 = 66$，$66 \div 2 = 33$，$33 \times 5 + 1 = 166$，$166 \div 2 = 83$，$83 \times 5 + 1 = 416$，$416 \div 2 = 208$，$208 \div 2 = 104$，$104 \div 2 = 52$，$52 \div 2 = 26$ となり，26 に戻ってくる。

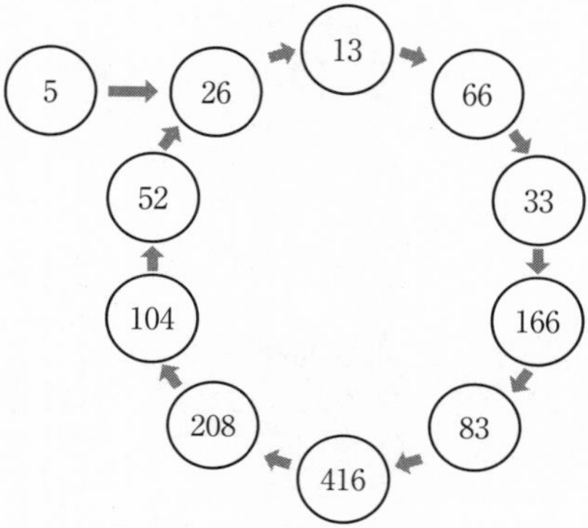

よって，今後も 26, 13, 66, 33, 166, 83, 416, 208, 104, 52 というループを回り続け，1へは到達しない。

操作を次々に変えていくと……？

「4倍して2を足す」操作に変えると，3は $3 \times 4 + 2 = 14$，$14 \div 2 = 7$，$7 \times 4 + 2 = 30$，$30 \div 2 = 15$，$15 \times 4 + 2 = 62$，$62 \div 2 = 31$，$31 \times 4 + 2 = 126$，$126 \div 2 = 63$ である。2で割られることがあるが，しだいに増えていきそうである。

	1回	2回	3回	4回	5回	6回	7回	8回	…
3	14	7	30	15	62	31	126	63	…

偶数に着目すると，14に3回操作をすると $15 = 14 + 1$ になり，30に3回操作をすると $31 = 30 + 1$ になり，62に3回操作をすると $63 = 62 + 1$ になっている。

また，奇数は４倍して２を足すので，４で割ると２余る数になる。よって，４の倍数にならないので，２回連続して２で割ることは起きていない。奇数に２回操作をすると，

$$\{(2n + 1) \times 4 + 2\} \div 2 = 4n + 3$$

となるので，$4n + 3 = 2 \times (2n + 1) + 1$ と見ると，奇数は２倍して１足される。

したがって，最初が 2, 4, 8, 16, …という 2^n の数でなければ，この操作で数は大きくなっていく。

「３倍して２を足す」に変えると，３は $3 \times 3 + 2 = 11$，$11 \times 3 + 2 = 35$ と，奇数しか出てこないので増え続ける。

「３倍して３を足す」に変えると，３は $3 \times 3 + 3 = 12$，$12 \div 2 = 6$，$6 \div 2 = 3$ でもとに戻ってくる。

「３倍して４を足す」に変えると，３は $3 \times 3 + 4 = 13$，$13 \times 3 + 4 = 43$ と増え続ける。

最後に，「３倍して５を足す」に変えると，3 → 14 → 7 → 26 → 13 → 44 → 22 → 11 → 38 → 19 → 62 → 31 → 98 → 49 → 152 → 76 → 38 → …となり，38 → 19 → 62 → 31 → 98 → 49 → 152 → 76 のループをめぐることになる。

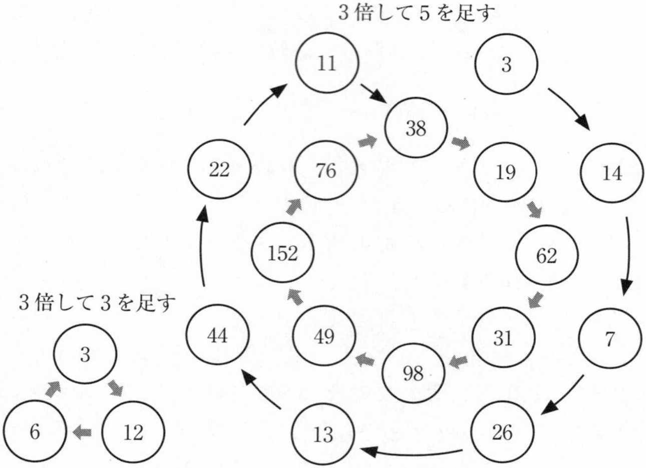

奇数の操作	現象
4倍して1を足す	大きくなり続ける数がある(奇数のまま増え続ける)
5倍して1を足す	ループをめぐる数がある
4倍して2を足す	大きくなり続ける数がある
3倍して2を足す	大きくなり続ける数がある(奇数のまま増え続ける)
3倍して3を足す	ループをめぐる数がある
3倍して4を足す	大きくなり続ける数がある(奇数のまま増え続ける)
3倍して5を足す	ループをめぐる数がある

① コラッツ算の「3倍」や「1を足す」という操作を変えていくと，似たような現象は現れず，新たな現象に出会うことになる。

第3部

「図形」のセンスを磨く

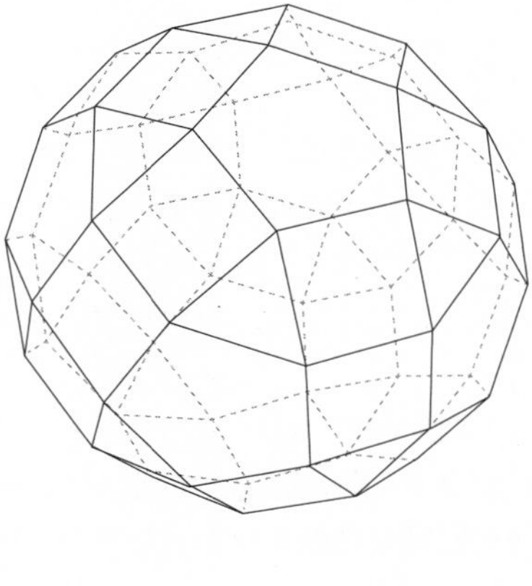

第9章 「正多面体」の探究で磨く

第1部では「数」のセンスを磨くことをテーマに，第2部では「数」を「図形」でとらえるセンスを磨くことに力点を置いて，中学数学のエッセンスを掘り下げてきた。

本書の最後を締めくくる第3部では，「図形」のセンスを磨くことに主眼を置いて，中学数学で学ぶさまざまな図形を探究していく。本章で取り上げるのは，その中軸を担う「正多面体」である。

正多面体は中学1年生で学習し，それが5つしか存在しないことを知る。しかし，数に対する操作を変えることで新たな数の側面が姿を現したように，正多面体のとらえ方を変更すると，そこには新たな多面体が顔を覗かせてくる。

いったいどんな多面体が登場するのか，じっくり見ていくことにしよう。この章のポイントは，次の3つである。

- **正多面体は，本当に5つだけなのか？**
- **正多面体が成立する条件を変えるとどうなるか？**
- **5つの正多面体どうしの関係は？**

9.1 正多面体とは

いくつかの平面で囲まれた立体を「多面体」という。そのうち，対称的な形として，「正多面体」が知られている。

正多面体とは，次の３条件を満たす多面体である。

第１条件：すべての面が合同な正多角形である
第２条件：どの頂点にも面が同じ数だけ集まっている
第３条件：へこみがない

正多面体には，次の図に示すように正四面体，正六面体（立方体），正八面体，正十二面体，正二十面体の５種類がある。

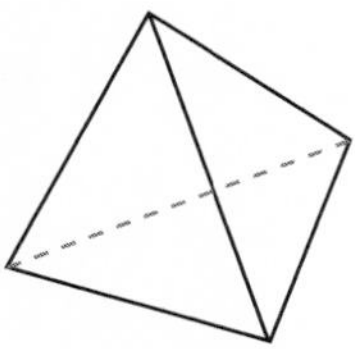
正四面体

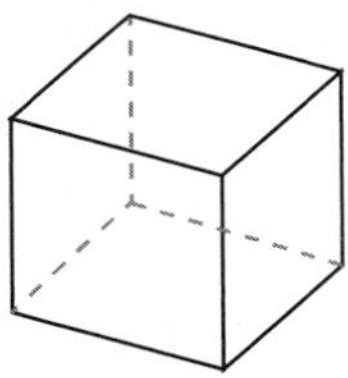
正六面体

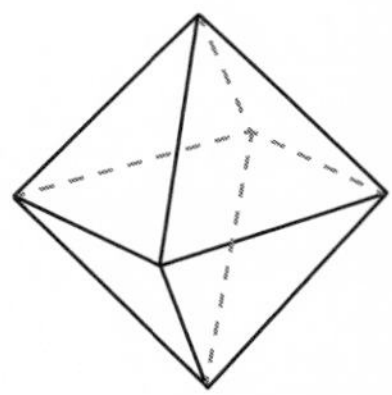
正八面体

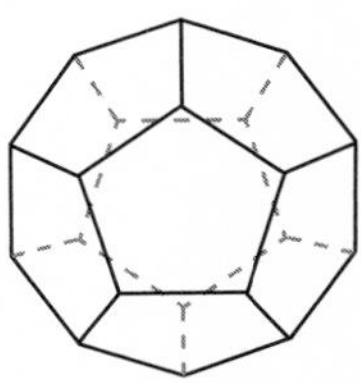
正十二面体

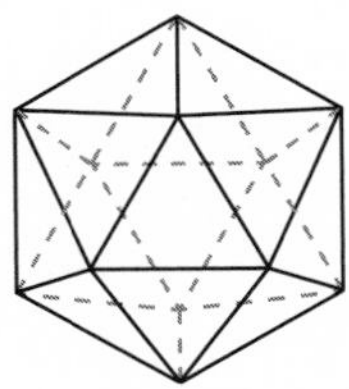
正二十面体

正四面体は，頂点の数が４個，辺の数が６本，面の数が４枚であり，各頂点に正三角形が３枚集まっている。正多面体についてまとめたのが次の表である。

	頂点の数	辺の数	面の数	正多角形	各頂点に集まる面数
正四面体	4	6	4	正三角形	3
正六面体	8	12	6	正方形	3
正八面体	6	12	8	正三角形	4
正十二面体	20	30	12	正五角形	3
正二十面体	12	30	20	正三角形	5

頂点や辺の数は，いちいち数えなくても「形の性質」から求めることができる。

たとえば，正十二面体は 12 枚の正五角形からできている。正五角形 12 枚の辺の数は，$5 \times 12 = 60$ 本である。それらの辺が 2 本ずつくっついて正十二面体になるので，$60 \div 2 = 30$ 本が辺の数とわかる。

また，正五角形 12 枚の頂点の数は，$5 \times 12 = 60$ 個である。正十二面体ではそれらが 3 個集まっているので，$60 \div 3 = 20$ 個が頂点の数となる。

9.2 正多面体は5種類のみ

5 つの正多面体を記述したのは，古代ギリシャの哲学者，プラトン（紀元前 427〜前 347）が初めてとされている。これにちなみ，正多面体を「プラトンの立体」ということがある。

正多面体が 5 種類より多く存在しないことは，頂点に集まる角度の和を考えれば理解できる。

正三角形を 1 つの頂点に 6 枚以上集めると，$60° \times 6 = 360°$ で平面になり，組み立てようとしてもへこみができてしまう。

同様に，正方形を１つの頂点に４枚以上集めると，$90° \times 4 = 360°$ で平面になり，組み立てようとしてもへこみができてしまう。

正五角形を１つの頂点に４枚以上集めると $108° \times 4 = 432°$ で，やはり組み立てようとしてもへこみができてしまう。

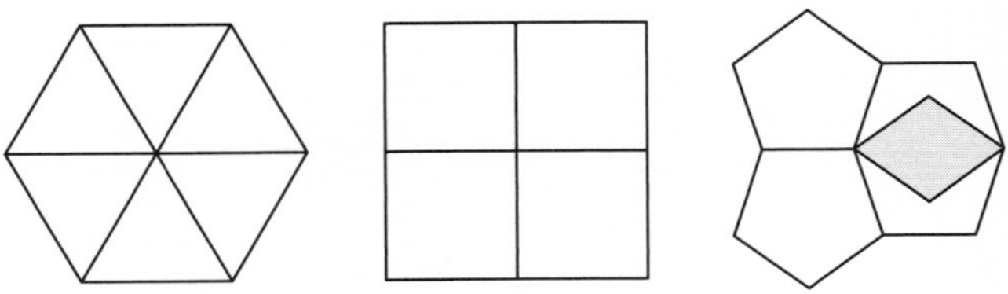

一方，正多面体を５つ構成できることは，たとえば空間座標を用いて，頂点の座標を定めるなどして，作ることができることを示せばよい。

① 正多角形の内角を考えると，正多面体が6種類以上は存在しないことがわかる。

9.3　第1条件から「正多角形」を外す

正多面体の定義の一部を除外して考えるとどうなるだろうか。

正多面体の第１条件である「すべての面が合同な正多角形である」から「正多角形」を除外して「すべての面が合同な多角形である」に変更すると，二等辺三角形４枚を組み合わせてできる四面体が考えられる。

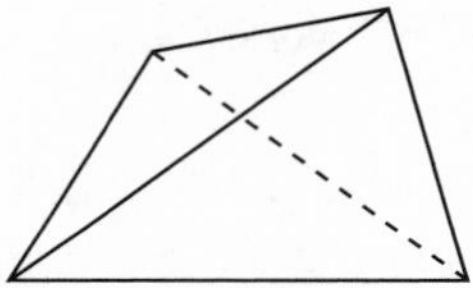

他に，正八面体や正二十面体の各面を二等辺三角形にしたものも考えられる。

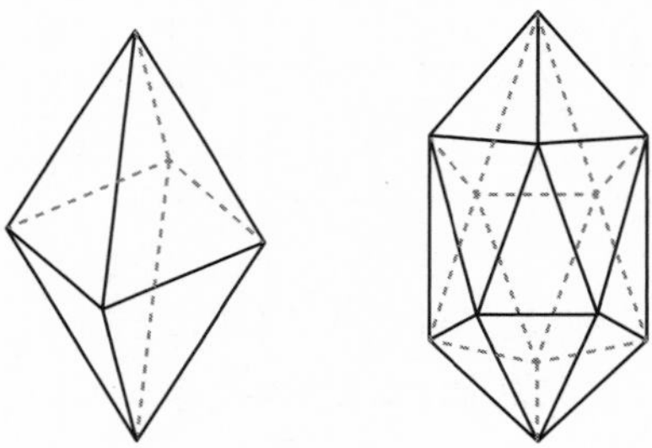

正六面体の面を合同なひし形にした菱(ひし)立体もある。

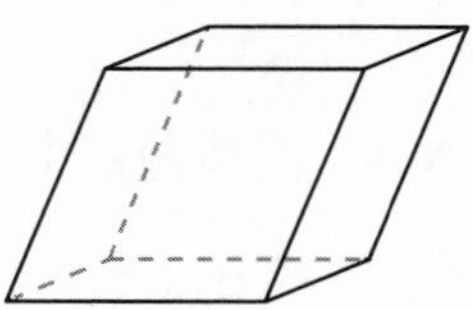

正多角形を複数種にするものについては，節を改めて見ていこう。

① 第1条件を「すべての面が合同な多角形である」に変える

と，正多面体を引き延ばしたような多面体が現れる。

9.4 第2条件「どの頂点にも面が同じ数だけ集まっている」を外す

正多面体であるための第２条件である「どの頂点にも面が同じ数だけ集まっている」を除外すると，５つの正多面体以外の多面体が条件を満たすことがわかる。

つまり，すべての面が合同な正多角形でありさえすれば，頂点に集まる面の数は一定でなくてよい。たとえば，正四面体を２つ貼り付けてできる６枚の正三角形からできる多面体や，10 枚の正三角形でできる多面体が考えられる。

「デルタ多面体」とは?

一般に，すべての面が正三角形であるへこみのない多面体を「デルタ多面体」とよぶ。

正三角形が 4, 6, 8, 10, 12, 14, 16, 20 枚からなる，８種類のデルタ多面体が存在することがわかっている（次ページの図。数字は「面の数（正三角形の枚数）」を示している）。4, 8, 20 はそれぞれ，正四面体，正八面体，正二十面体である。

十八面体は存在しないことが示されている。

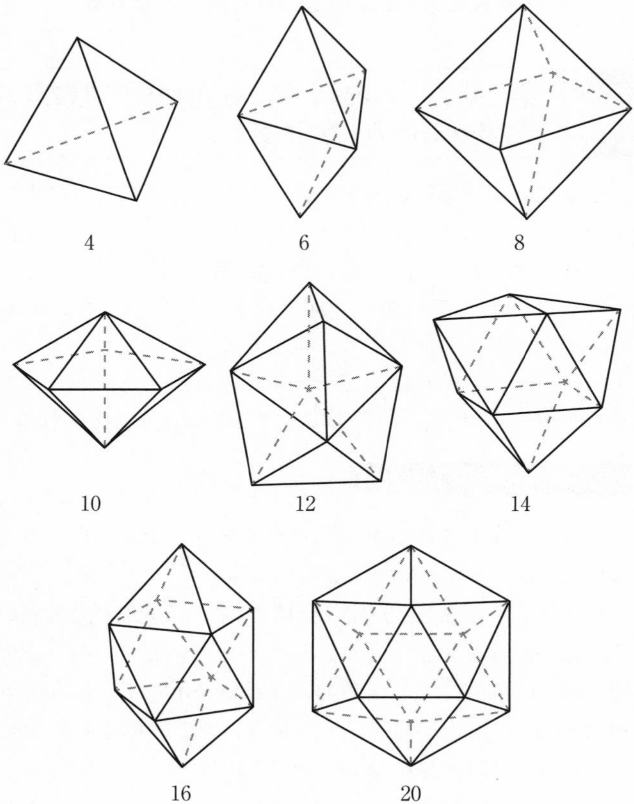

(!) **18を除いた4から20までの偶数枚の正三角形で，多面体を作ることができる。**

9.5 第3条件「へこみがない」を外す

正多面体であるための第３条件「へこみがない」を除外すると，正二十面体の一部をへこませた多面体を考えることができる。

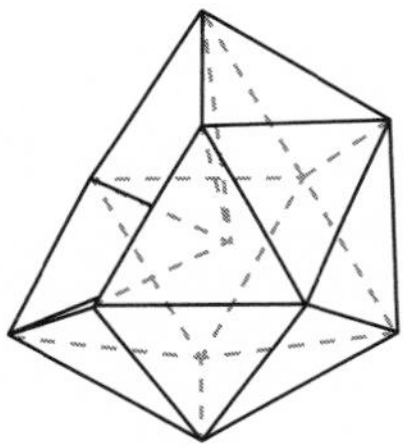

上図のような多面体が存在するので，「へこみがない」という条件が必要であることがわかる。
「へこみがない」多面体を「凸(とつ)多面体」という。以降，凸多面体を中心に見ていく。

9.6 正多面体の「双対」とは？

各面の中心（正偶数角形は頂点の対角線の交点，正奇数角形は頂点と向かい合う辺の中点を結ぶ線分の交点）に頂点をとり，面が辺を共有しているときにそれらの頂点を結ぶと，新たな多面体ができる。

このようにしてできた多面体を，もとの多面体の「双対(そうつい)」とよぶ。次に示す図のように，正六面体は正八面体の双対であり，また，正八面体は正六面体の双対である。

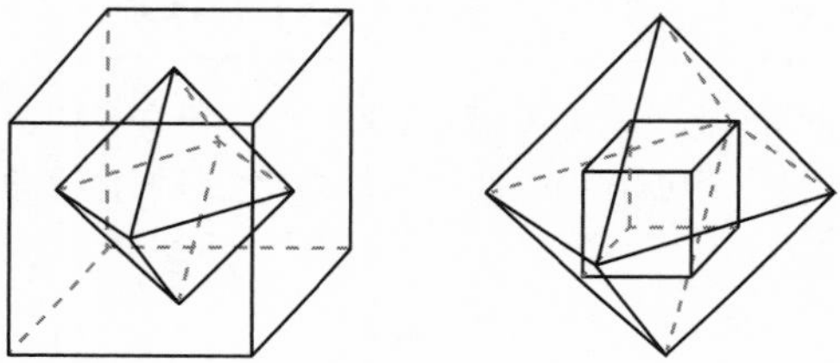

一般に，双対の双対はもとの多面体になる。さらに，正十二面体は正二十面体の双対であり，正二十面体は正十二面体の双対である。

頂点と面が1対1に対応しているので，頂点の数と面の数が同数である。また，正多角形の辺の数と各頂点に集まる面の数にも対応がある。正四面体は自分自身と双対の関係である。

	頂点の数	辺の数	面の数	正多角形	各頂点に集まる面数
正四面体	4	6	4	正三角形	3
正六面体	8	12	6	正方形	3
正八面体	6	12	8	正三角形	4
正十二面体	20	30	12	正五角形	3
正二十面体	12	30	20	正三角形	5

(!) **正多面体の頂点，辺，面の数に関係があるだけでなく，形として「双対」という関係がある。**

9.7 正多面体の展開図

立方体（正六面体）の展開図の数は，11通りである。裏返したり，回転させたりして，重なり合うものは同じと考えている。

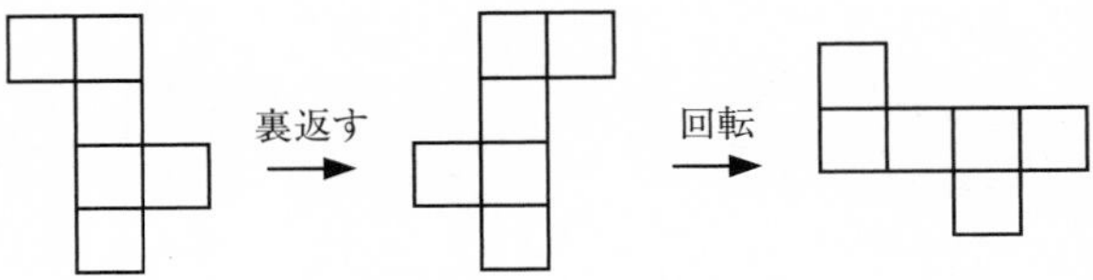

正八面体の展開図を描くと，これも11通りであることに気づく。

両者の展開図がともに11通りであることは偶然ではない。展開図のあいだには1対1の対応があるからだ。

正六面体を切り開いて展開図を作るとき，計12本の辺のうち7本を切り，5本は切らない。

正八面体を切り開いて展開図を作るとき，計12本の辺のうち5本を切り，7本は切らない。

切り取る辺と切り取らない辺を対応させると，同じ数の展開図が存在することがわかる。それを示したのが次図である。

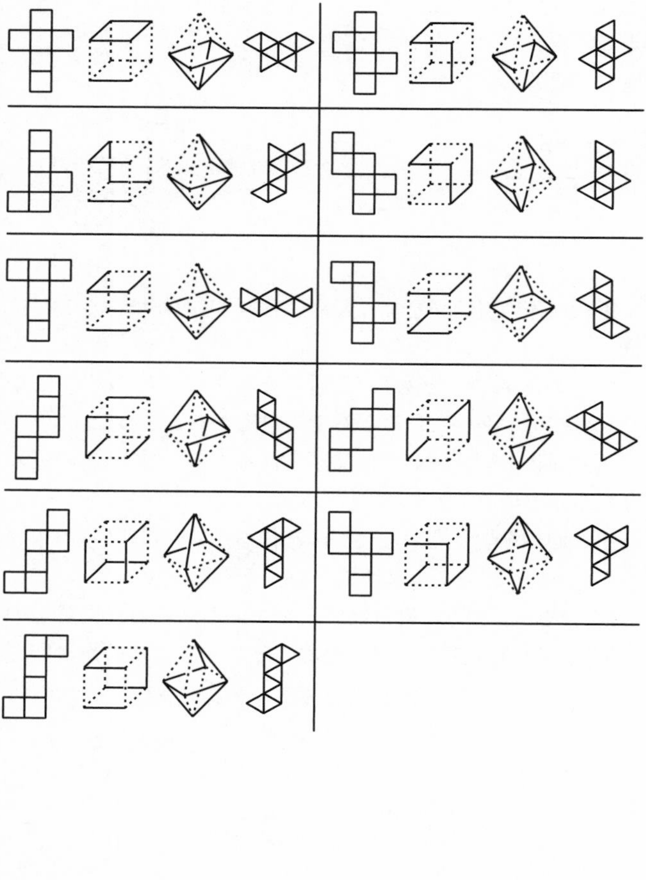

正十二面体と正二十面体の展開図の数も同じで，ともに 4 万 3380 通りあることがわかっている。正二十面体の一例を次図に掲げる。

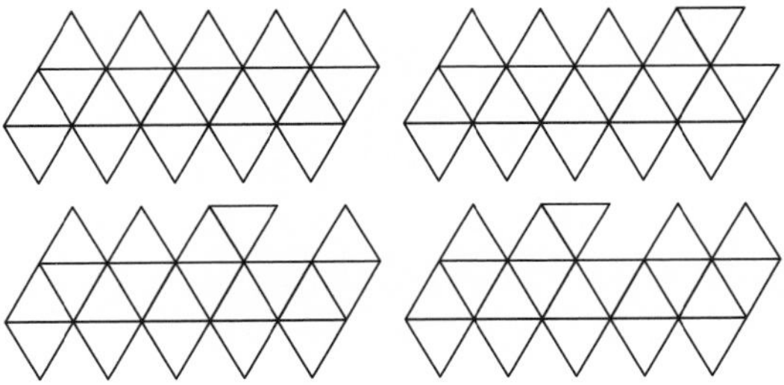

Ⓘ **展開図は，正多面体の双対と関係する。正十二面体と正二十面体の展開図の数は膨大である。**

9.8 正多面体の中の正多面体

立方体の双対が正八面体である。これは，立方体の中に正八面体が隠れていると考えることができる。

次の左図に示すように，立方体の 4 頂点を選んで結ぶと，正四面体が隠れていることがわかる。

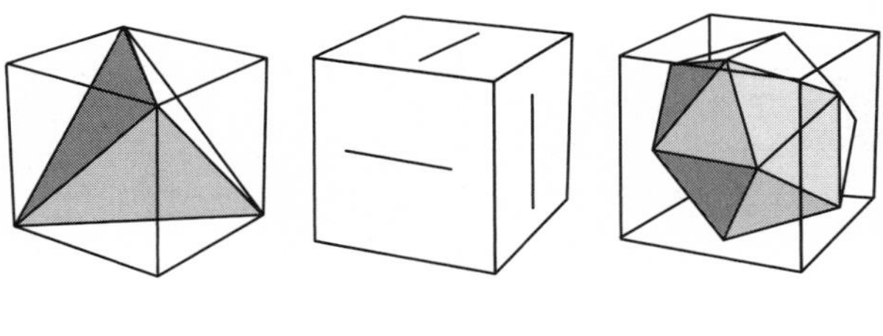

前ページの中央の図に示すように，一辺の長さが1の立方体の各面の中央に長さ$\frac{\sqrt{5}-1}{2}$の線分をとって結ぶと，正二十面体が隠れていることもわかる。

正十二面体は，次の図に示すように，立方体の各面に屋根のような図形をつけることで作ることができる。立方体の8個の頂点と6つの屋根の上にある2個の頂点の計20個が，正十二面体の頂点に対応する。これは，正十二面体の20個の頂点のうち8個を選んで結ぶと，立方体ができるということである。

また，正十二面体の頂点を4つ選んで正四面体を見出すこともできる。

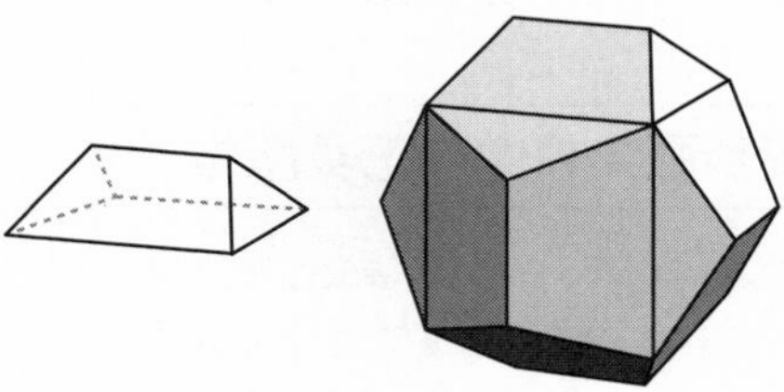

ⓘ 正多面体の中には正多面体が隠れている。頂点や辺，面に注意しながら，他にも探してみよう。

9.9 アルキメデスの立体

正多面体の第1条件「すべての面が合同な正多角形である」を「すべての面が（何種類でもよいので）正多角形である」に変えて多面体を考えてみよう。

同時に，第２条件「どの頂点にも面が同じ数だけ集まっている」は「どの頂点にも同じ形が同じ順で集まっている」と変更してみる。第３条件「へこみがない」は維持することにしよう。

たとえば，頂点に正方形２枚と正三角形２枚が集まっているときは，すべての頂点で「正方形，正三角形，正方形，正三角形の順」か，「正方形，正方形，正三角形，正三角形の順」かに並んでいないといけない。

「正方形，正三角形，正三角形，正方形の順」は，当初の形を変えれば，正方形，正方形と続くと見ることができるので，「正方形，正方形，正三角形，正三角形の順」と同じと見なす。

側面が正方形の正三角柱は，正多角形のみで作られ，すべての頂点で「正三角形，正方形，正方形の順」に並んでいて，へこみがないので条件を満たす。同じように，側面が正方形の正五角柱，正六角柱，正七角柱，一般に，正 n 角柱も条件を満たす。

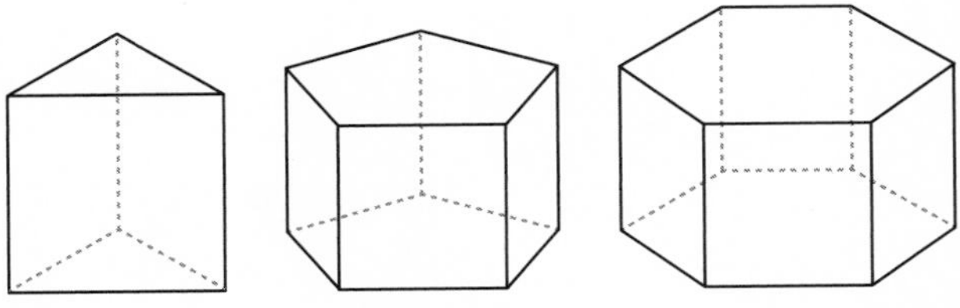

側面の正方形を２枚の正三角形に変えた立体も，先の条件を満たす。このような形を正反角柱という。

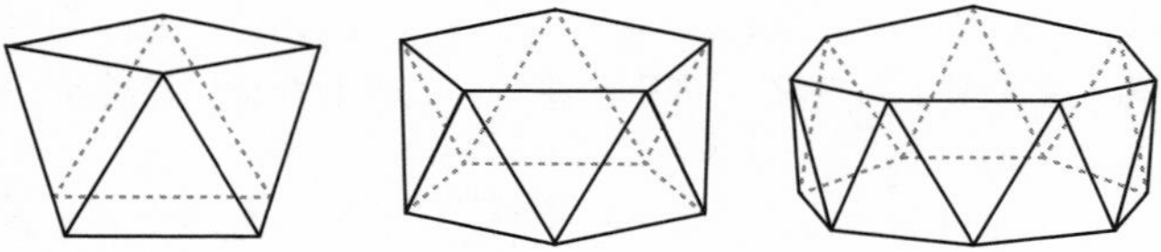

正 n 角柱と正反角柱に加え，次図に示すミラーの立体以外でこの条件を満たす多面体を「アルキメデスの立体」あるいは「半正多面体」とよぶ。

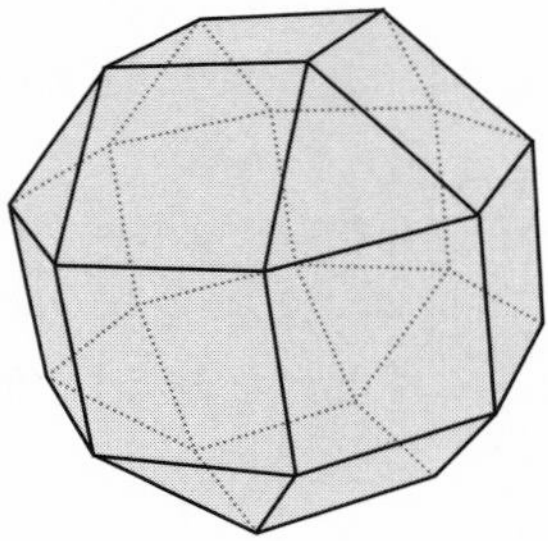

白と黒の面でできたクラシックなサッカーボールが，アルキメデスの立体の例である。

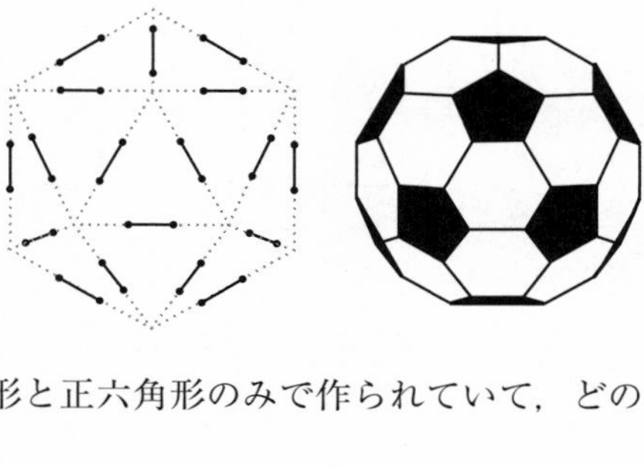

正五角形と正六角形のみで作られていて，どの頂点にも

「正五角形，正六角形，正六角形の順」に並んでおり，へこみがない。この立体は，前ページ左下の図に示すように，正二十面体の各辺を３等分し，頂点のまわりを切り取ることでできる立体である。

サッカーボールの展開図は３垓通り以上！

サッカーボールは，正五角形と２つの正六角形が頂点まわりにあるので，［5, 6, 6］と表すことにしよう。正二十面体の頂点まわりを切り取ったものなので，切頂二十面体という。切頂二十面体の展開図は，375,291,866,372,898,816,000通り（3垓(がい)7529京(けい)1866兆3728億9881万6000通り）あることが知られている。

サッカーボールと同様に，正多面体の辺を３等分して，頂点まわりを切り落とすと，他にも４つのアルキメデスの立体が出てくる。

切頂四面体［3, 6, 6］：正三角形４枚，正六角形４枚
切頂六面体［3, 8, 8］：正三角形８枚，正八角形６枚
切頂八面体［4, 6, 6］：正方形６枚，正六角形８枚
切頂十二面体［3, 10, 10］：正三角形20枚，正十角形12枚

次の図は，左から順に切頂四面体，切頂六面体，切頂八面体，切頂十二面体である。

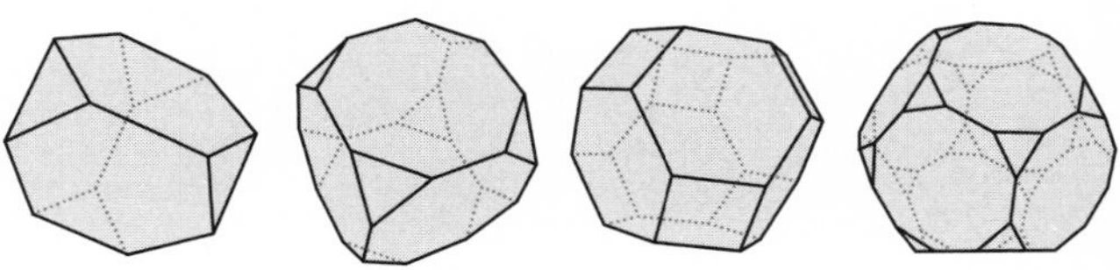

「立方八面体」「二十・十二面体」とはなにか

次に，立方体の辺の中点を結んでいくと，各頂点に正三角形，正方形，正三角形，正方形が並ぶアルキメデスの立体が現れる。正八面体の辺の中点を結んでも同じ立体が現れる。

この立体は立方八面体とよばれ，[3, 4, 3, 4] と書く。

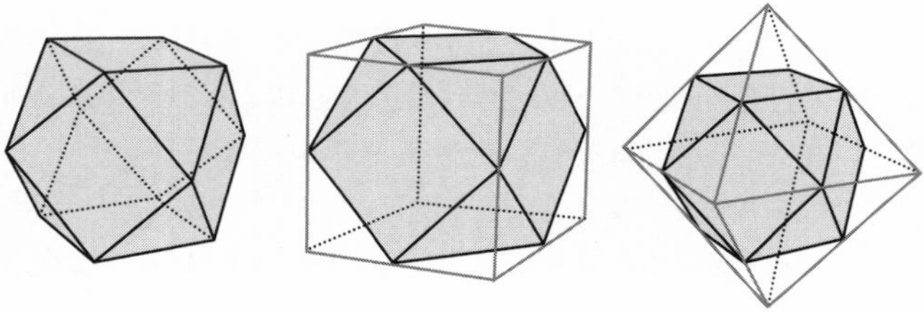

同じように，正十二面体と正二十面体の辺の中点を結ぶと，各頂点に正三角形，正五角形，正三角形，正五角形が集まるアルキメデスの立体が得られる。

こちらは二十・十二面体とよばれ，[3, 5, 3, 5] と書く。

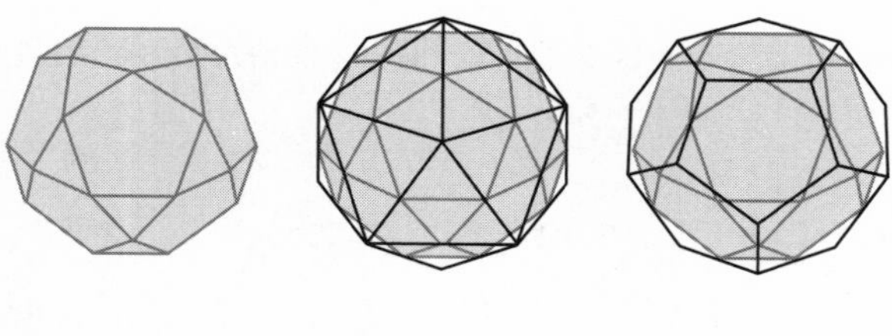

「斜方立方八面体」に「斜方二十・十二面体」……

立方体と正八面体の面をそれぞれ持ち上げ，あいだに正方形を入れて合体させると，各頂点に正三角形と正方形3枚が集まるアルキメデスの立体が作られる。

これは斜方立方八面体とよばれ，［3,4,4,4］と書く。

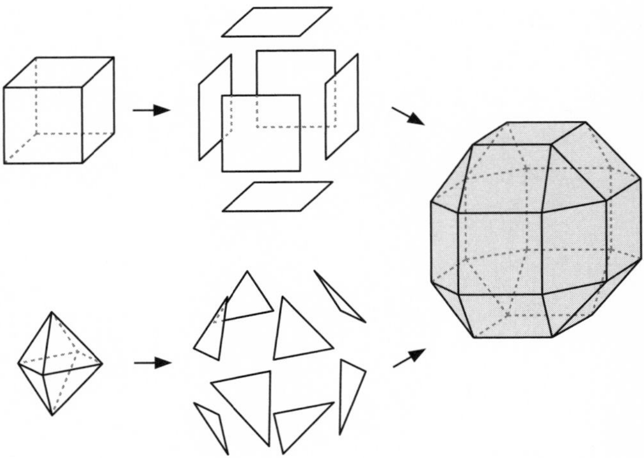

正十二面体と正二十面体の面をそれぞれ持ち上げ，あいだに正方形を入れて合体させると，各頂点に正三角形，正方形，正五角形，正方形が集まるアルキメデスの立体が作られる。

これは斜方二十・十二面体とよばれ,［3, 4, 5, 4］と書く。

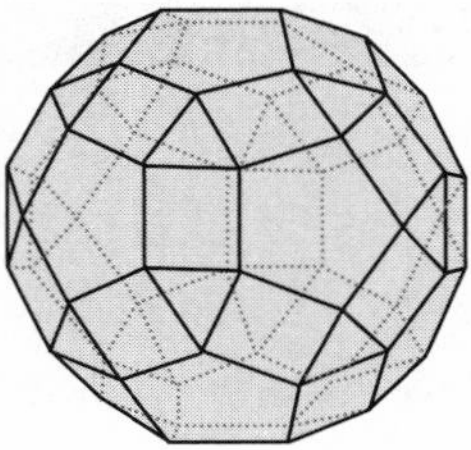

切頂六面体の正八角形と切頂八面体の正六角形をそれぞれ持ち上げ，あいだに正方形を入れると，各頂点に正方形，正六角形，正八角形が集まるアルキメデスの立体が作られる。

これは斜方切頂立方八面体とよばれ，［4, 6, 8］と書く。

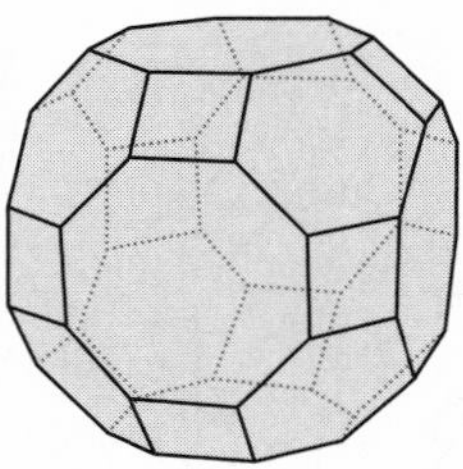

切頂十二面体の正十角形と切頂二十面体の正六角形をそれぞれ持ち上げ，あいだに正方形を入れると，各頂点に正方形，正十角形，正六角形が集まるアルキメデスの立体が作られる。

これは斜方切頂二十・十二面体とよばれ，［4, 6, 10］と書く。

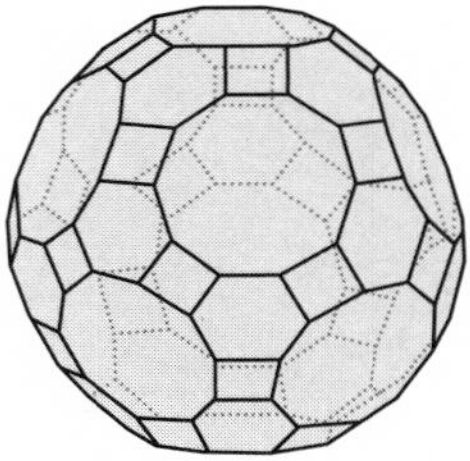

「ねじり」を加えると……？

立方体の各面をそれぞれ持ち上げ，少しねじってあいだに正三角形を入れると，各頂点に正方形と４枚の正三角形が集まるアルキメデスの立体が作られる。

これは，変形立方体とよばれ，[3, 3, 3, 3, 4] と書く。ねじる向きが違うと，形が異なった鏡に映したような多面体ができる。

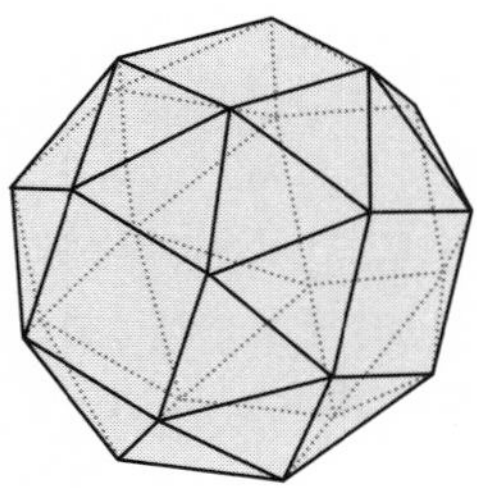

正十二面体の各面をそれぞれ持ち上げ，少しねじってあいだに正三角形を入れると，各頂点に正五角形と４枚の正三角形が集まるアルキメデスの立体が作られる。

これは，変形十二面体とよばれ，［3, 3, 3, 3, 5］と書く。

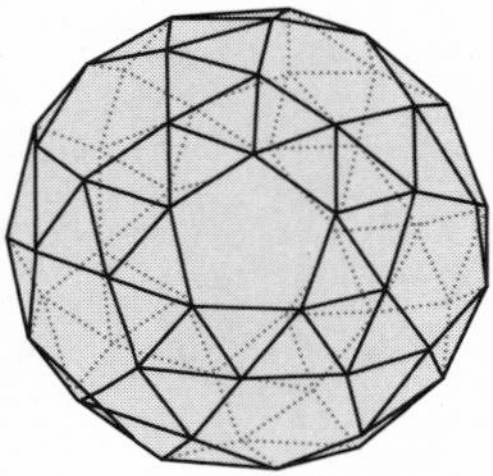

各多面体の頂点，辺，面の数，面の形を次ページの表にまとめる。

数え方が工夫できないかを考えてみよう。

たとえば，切頂二十面体の頂点の数は，正五角形どうしは頂点を共有せず，多面体の各頂点に1回ずつ現れるので，五角形の5と枚数をかけた $5 \times 12 = 60$ と求められる。

立方八面体の辺の数は，正三角形どうしは辺を共有せず，多面体の各辺は正三角形の辺なので，三角形の3と枚数をかけた $3 \times 8 = 24$ と求められる。正方形でも同様であり，$4 \times 6 = 24$ と考えられる。

(!) 正多角形が各頂点に同じように集まる多面体は，正多面体を除いて13種類あり，それぞれに美しさがある。どんな個性がひそんでいるか，探究してみてほしい。

9.10 ジョンソンの立体

すべての面が正多角形であり，かつへこみのない多面体で頂点が1つの球面上にあるものを「ジョンソンの立体」という。

	記号	頂点の数	辺の数	面の数	面の形
切頂 四面体	[3, 6, 6]	12	18	8	正三角形 4枚 正六角形 4枚
切頂 六面体	[3, 8, 8]	24	36	14	正三角形 8枚 正八角形 6枚
切頂 八面体	[4, 6, 6]	24	36	14	正方形 6枚 正六角形 8枚
切頂 十二面体	[3, 10, 10]	60	90	32	正三角形 20枚 正十角形 12枚
切頂 二十面体	[5, 6, 6]	60	90	32	正五角形12枚 正六角形 20枚
立方 八面体	[3,4,3,4]	12	24	14	正三角形 8枚 正方形 6枚
二十・ 十二面体	[3,5,3,5]	30	60	32	正三角形 20枚 正五角形 12枚
斜方立方 八面体	[3,4,4,4]	24	48	26	正三角形 8枚 正方形 18枚
斜方二十・ 十二面体	[3,4,5,4]	60	120	62	正三角形 20枚 正方形 30枚 正五角形 12枚
斜方切頂 立方八面体	[4,6,8]	48	72	26	正方形 12枚 正六角形 8枚 正八角形 6枚
斜方切頂 二十・ 十二面体	[4,6,10]	120	180	62	正方形 30枚 正六角形 20枚 正十角形 12枚
変形立方体	[3,3,3,3,4]	24	60	38	正三角形 32枚 正方形 6枚
変形 十二面体	[3,3,3,3,5]	60	150	92	正三角形 80枚 正五角形 12枚

正多面体，半正多面体，正多角柱，反正多角柱を除くと，92種類のジョンソンの立体が存在することが知られている。いくつか例を挙げよう。

J_1は，底面が正方形で側面が正三角形の正四角錐である。J_2は，底面が正五角形で側面が正三角形の正五角錐である。

J_3は，底面が正六角形で側面に正三角形と正方形が交互に並び，上面が正三角形である。J_4は，底面が正八角形で側面に正三角形と正方形が交互に並び，上面が正方形である。J_5は，底面が正十角形で側面に正三角形と正方形が交互に並び，上面が正五角形である。

J_6は，底面が正十角形で側面に正三角形と正五角形が交互に並び，並んだ正五角形の上に正三角形がつき，上面が正五角形である。

J_7は，正三角柱の上に正四面体がのっている。J_8は立方体の上に正四角錐がのっており，J_9は正五角柱の上に正五角錐がのっている。J_{10}は正反四角柱の上に正四角錐がのっており，J_{11}は正反五角柱の上に正五角錐がのっている。

そのほか，J_{74}は，斜方二十・十二面体と似ているが，頂点まわりで正方形が接しているものとそうでないものがある。J_{85}は，正三角形24枚，正方形2枚でできている。

① 正多角形のみで作られる多面体だけでもかなりの数がある。ここで紹介した以外のものも確認して，その特徴を探ってみよう。

J_1

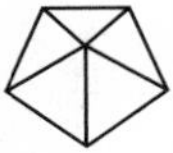
J_2

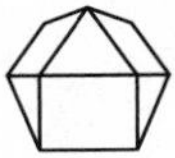
J_3

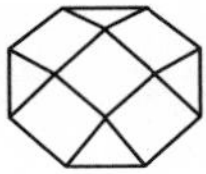
J_4

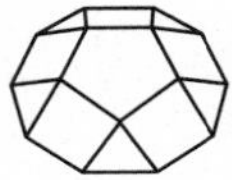
J_5

J_6

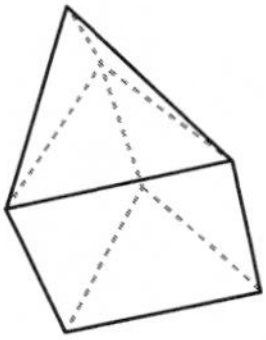
J_7

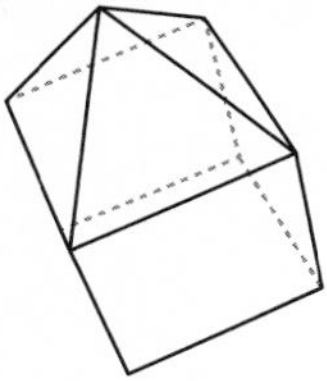
J_8

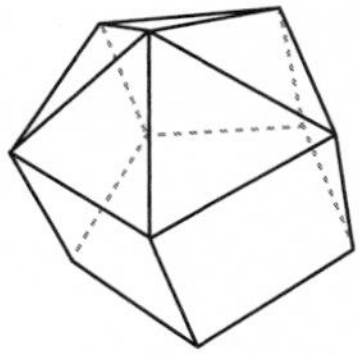
J_9

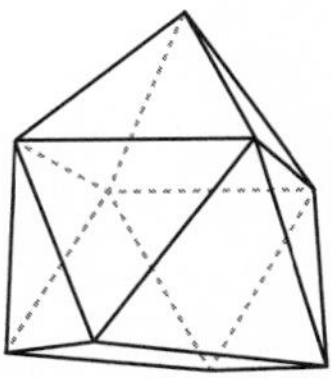
J_{10}

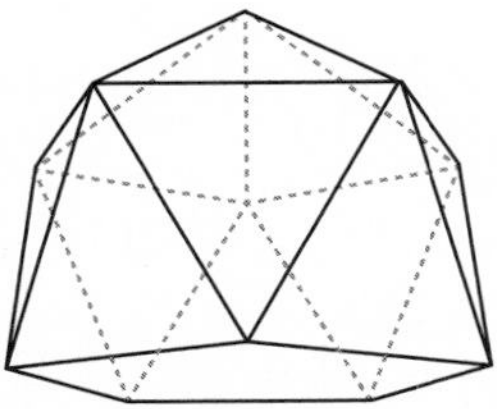
J_{11}

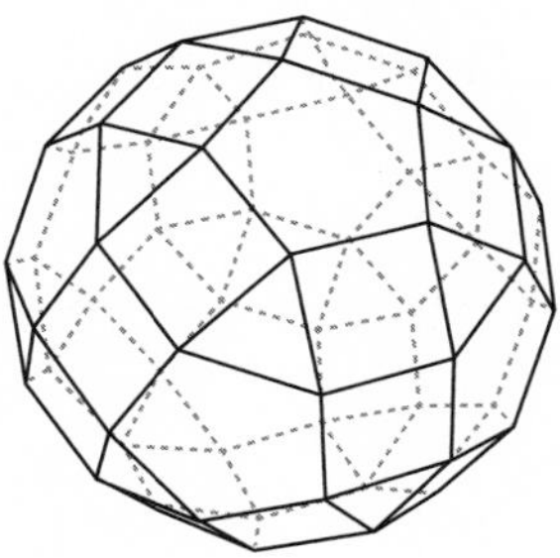
J_{74}

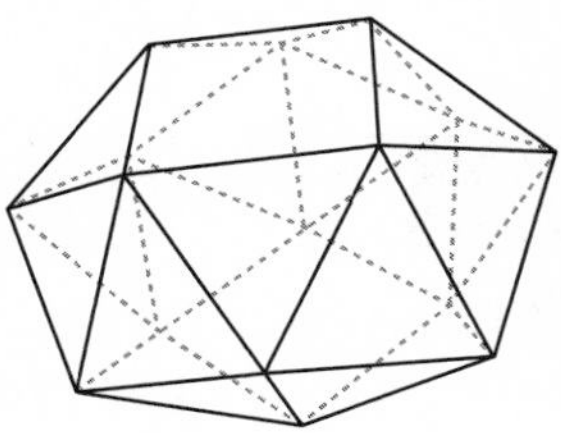
J_{85}

第10章 「多面体」の探究で磨く

前章では，正多面体と関連して特別な多面体について探究した。

この章では，一般の多面体（「へこみがない」凸多面体）について，n 面体の個数や，すべての多面体で成り立つ性質を探究していく。また，多面体の展開図についても考えてみよう。

この章のポイントは，次の4つである。

- **多面体はいったい何種類に分けられるのか，「数え方」を考えてみよう。**
- **多角形における頂点や辺，面の特徴と，多面体におけるそれらの特徴は「何が同じ」で「何が異なる」だろうか。**
- **すべての多面体で成り立つ公式の威力を確かめよう。**
- **身近にあふれる多面体を探し，その特徴を探ろう。**

10.1 凸多面体の個数

「多面体の個数」は，どのように数えたらいいだろうか。言い換えれば，多面体は何種類に分けられるのか。

あまり細かく分けすぎると，すべての多面体が異なることになる。数学では，共通の性質や特徴を見出して，1つのまとまり（グループ）としてくくり出すことも重要な視点となる。

そこで，面の大きさや形を少し変えたものや，多角形のつながり方が同じものは，同じ多面体と見なすことにしよう。多面体の辺の長さを変えて移り合うものも同じと見なそう。ただし，辺の長さを0にする操作は許さないことにする。

たとえば次図の多面体は，どれも同じと見なす。

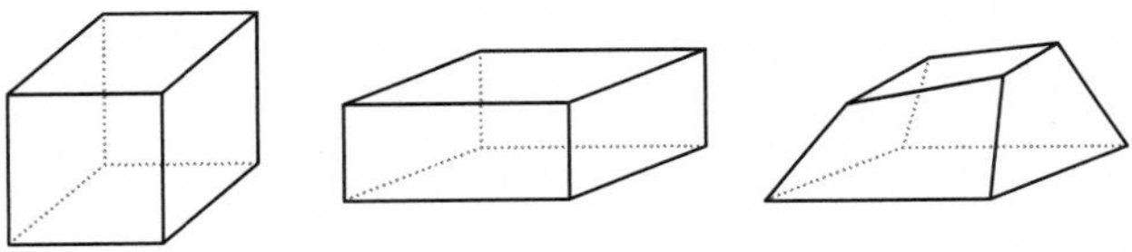

平面上の線分でできる多角形は，辺の個数（＝隣接する辺の角の個数）から，「n 辺形」（たとえば四辺形）とか「n 角形」（たとえば六角形）とよばれる。

へこみのない多面体は，面の個数から「n 面体」と表現される。面の個数が最も少ないのが四面体で，三角錐の1種のみである。五面体には四角錐と三角柱の2種類が，六面体には五角錐や四角柱をはじめ全部で7種類がある。

ここでいう種類は，正三角形と3辺が等しくない三角形や，正方形と台形などを区別しないということを意味している。四面体には，「4枚の三角形がそれぞれつながっているもの」という区別しかないという意味である。

次図で具体例を確認しよう。

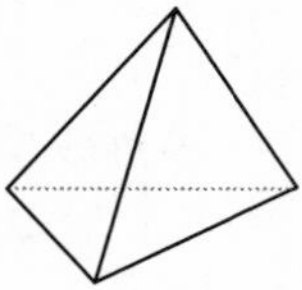
四面体

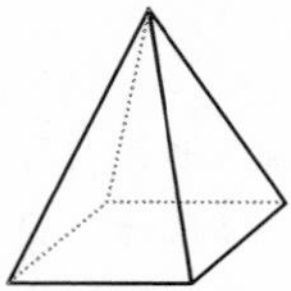
五面体1

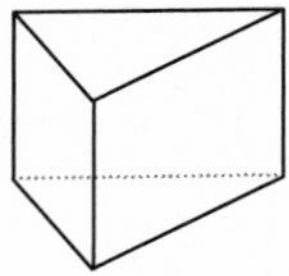
五面体2

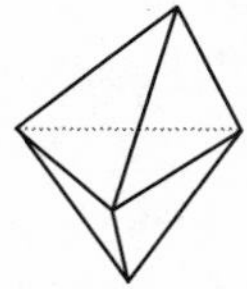
六面体1

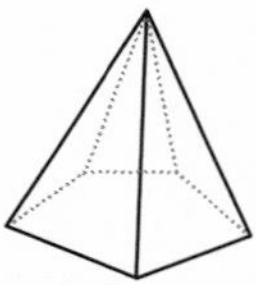
六面体2

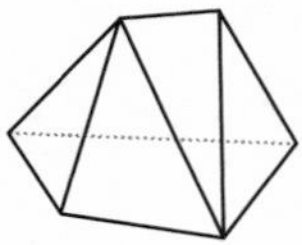
六面体3

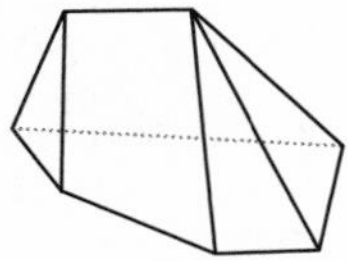
六面体4

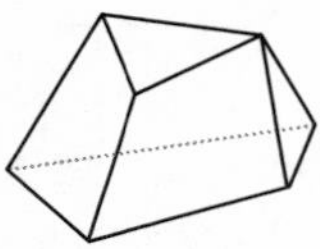
六面体5

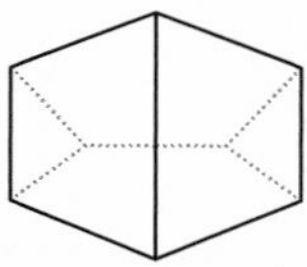
六面体6

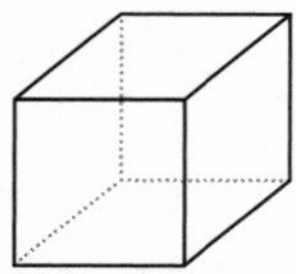
六面体7

五面体1は，底面が正方形のものも，台形のものも含んで1つと数えている。つまり，多角形とそのつながり方で分類している。

七面体は34種類，八面体には257種類，九面体には2606種類，十面体は3万2300種類，十一面体は約4万4000種類，十二面体は約650万種類あることが知られている。

次の表を見ると，六面体1〜7はそれぞれ多角形の数が異なるので，多面体として異なることがわかる。

四面体	三角形4枚
五面体1	三角形4枚, 四角形1枚
五面体2	三角形2枚, 四角形3枚
六面体1	三角形6枚
六面体2	三角形5枚, 五角形1枚
六面体3	三角形4枚, 四角形2枚
六面体4	三角形3枚, 四角形2枚, 五角形1枚
六面体5	三角形2枚, 四角形4枚
六面体6	三角形2枚, 四角形2枚, 五角形2枚
六面体7	四角形6枚

七面体では三角形6枚と四角形1枚でできる多面体が2種類ある。次の2つの図も，底面の四角形の4辺に三角形がついている。

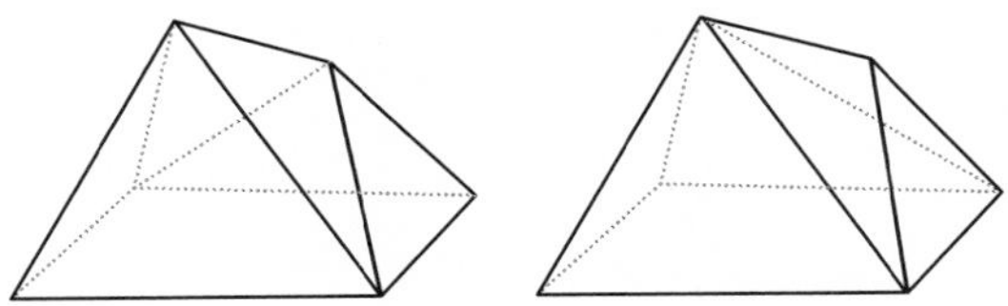

しかし，右図では5本の辺が出ている頂点が存在するが，左図にはそのような頂点は存在しない。よって，これら2つは異なる多面体である。

(!) 面の数が増えると多面体の数は膨大に増えていく。面の数が増えると，面の形と数だけで区別がつかない多面体が出てくる。どこが同じでどこが違うかに注意することで，「図形」に対する感覚が研ぎ澄まされていく。

10.2 オイラーの多面体公式

多角形では，頂点の数と辺の数はどれも同じである。三角形なら頂点の数も辺の数も3で3 = 3，四角形なら頂点の数も辺の数も4で4 = 4である。

多面体ではどうだろうか？

面の数が4から6の多面体における頂点，辺，面の数の関係を調べてみよう。

	頂点の数	辺の数	面の数
四面体	4	6	4
五面体1	5	8	5
五面体2	6	9	5
六面体1	5	9	6
六面体2	6	10	6
六面体3	6	10	6
六面体4	7	11	6
六面体5	7	11	6
六面体6	8	12	6
六面体7	8	12	6

多角形のような，「頂点と辺の数が等しい」という関係は見られない。頂点と辺の数の「差」をみると，四面体は2で，五面体1，2はともに3，六面体1〜7ではすべて4であることに気づく。

つまり，面の数が1増えると，(辺の数) − (頂点の数) が1増えている。これらの多面体に共通する頂点，辺，面の数を考えると，以下のようになる。

$$(\text{辺の数}) - (\text{頂点の数}) - (\text{面の数}) = -2$$

右辺を正にし，項の順序を整えると，「オイラーの多面体公式」とよばれるものになる。第6章のオイラーの予想や第7章のオイラー関数でも登場した偉大な数学者，オイラーが発見したことに由来する名称である。

オイラーの多面体公式
(頂点の数)−(辺の数)+(面の数)=2

この公式は，実際にすべての多面体で成り立つことが知られている。正多面体で確認すると，

正四面体　$4 - 6 + 4 = 2$
正六面体　$8 - 12 + 6 = 2$
正八面体　$6 - 12 + 8 = 2$
正十二面体　$20 - 30 + 12 = 2$
正二十面体　$12 - 30 + 20 = 2$

と，確かに成り立っている。他にも，n 角柱や n 角錐では，

n 角柱　$2n - 3n + (n + 2) = 2$
n 角錐　$(n + 1) - 2n + (n + 1) = 2$

となり，やはり成立している。

(!) 多面体の頂点，辺，面の数には，オイラーの多面体公式という関係式が成り立つ。

10.3 多面体の面の内角の和の総和

平面の図形で，n 角形の内角の和は $180 \times (n - 2)$ であり，頂点の数によって内角の和が決まっている。たとえば，三角形では180°である。四角形は2つの三角形に分けられ，360°である。

空間図形においても，同じようなことがいえるだろうか？

四面体は三角形が4枚なので，$180° \times 4 = 720°$ が面の内角の和の総和である。

五面体1は三角形4枚と四角形1枚なので，$180° \times 4 + 360° = 1080°$ が，五面体2は三角形2枚と四角形3枚なので，$180° \times 2 + 360° \times 3 = 1440°$ が，それぞれ面の内角の和の総和である。

先ほどまでと同様に，面の数が4から6の多面体における面の内角の和の総和を求めて表にまとめる。

	頂点の数	辺の数	面の数	面の内角の和の総和
四面体	4	6	4	720
五面体1	5	8	5	1080
五面体2	6	9	5	1440
六面体1	5	9	6	1080
六面体2	6	10	6	1440
六面体3	6	10	6	1440
六面体4	7	11	6	1800
六面体5	7	11	6	1800
六面体6	8	12	6	2160
六面体7	8	12	6	2160

頂点の数が1個増えると，面の内角の和の総和は360°増えており，多角形と同様に，頂点から面の内角の和の総和が決まっているように見える。すなわち，次が成り立ちそうだという予想が立つ。

多面体の内角の和の総和＝180×(頂点の数×2−4)

実際に成り立つことをどう証明すればいいだろうか。方針は，多角形と同様に，面を三角形に分けて考えることである。

なお，頂点は英語で「vertex」，辺は「edge」，面は「face」なので，頭文字を使ってそれぞれ v, e, f で個数を表すことがある。以降の式中で用いるので覚えておいてほしい。

すべての面を三角形に分割する。たとえば，五角形は3枚の三角形，n角形は$n-2$枚の三角形に分割される。この分割では，頂点の数も内角の和の総和も変わらない。

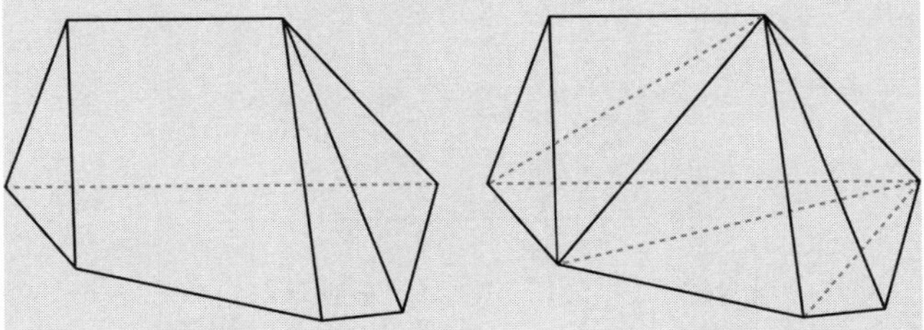

分割された多面体で，面の数をfとすると，
すべての面は三角形で，すべての辺は2つの面で重複して
数えられるので，$3f\div2$が辺の数eである。つまり，$e=\dfrac{3f}{2}$である。

オイラーの多面体公式より，

$$v-\frac{3f}{2}+f=2$$

$$f=2v-4$$

が成り立つ。今，すべての面は三角形なので，
各面の内角の和は180°である。

よって，面の内角の和の総和は，$180\times(2v-4)$である。

(!) 面の内角の和の総和は，頂点の数から決まる。

10.4 多面体の頂点の「不足度」の和

どの多角形も，外角の和が360°であるという性質がある。

空間図形では果たしてどうだろうか。空間図形にも外角の概念を導入して探究してみよう。

多角形の外角は，頂点に接続する2辺が「直線に近いか」を測っていると，捉えることができる。

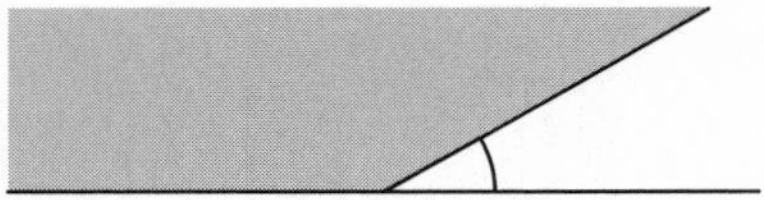

立体の場合は，「平面に近いか」を測りたい。そこで，頂点に集まっている面の頂点の内角の和を計算してみよう。

立方体では正方形が3枚集まっているので，$90^\circ \times 3 = 270^\circ$である。正八面体では，正三角形が4枚集まっているので，$60^\circ \times 4 = 240^\circ$である。

側面が正三角形である正五角錐では，上の頂点は$60^\circ \times 5 = 300^\circ$，底面にある5頂点では$60^\circ \times 2 + 108^\circ = 228^\circ$である。

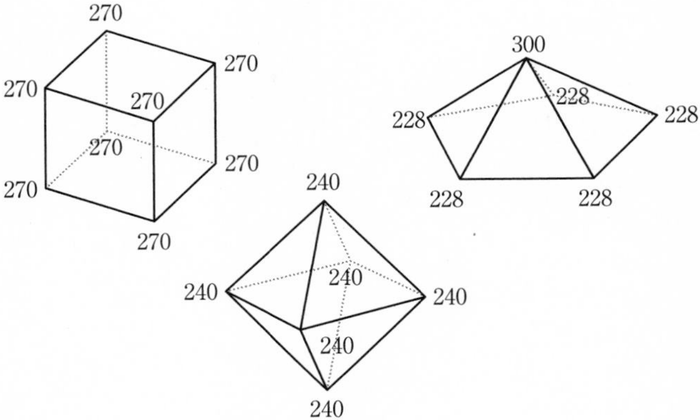

各頂点に,

360° − 頂点に集まっている面の頂点の内角の和

を「不足度」として定義しよう。これは,頂点まわりだけを示した展開図において,次のように考えられる。

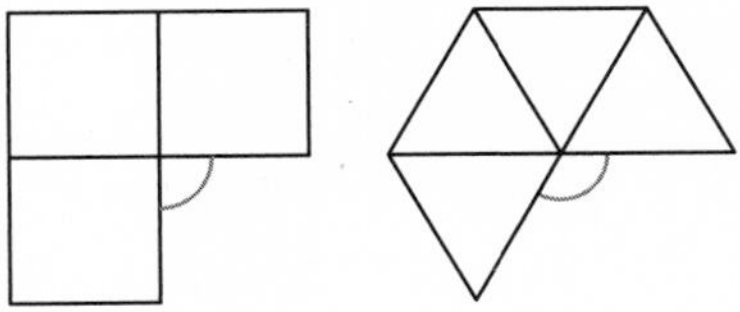

立方体では,各頂点の不足度は 360° − 270° = 90° である。正八面体では,360° − 240° = 120° である。

側面が正三角形である正五角錐では,上の頂点は 360° − 300° = 60°,底面にある 5 頂点では 360° − 228° = 132° である。

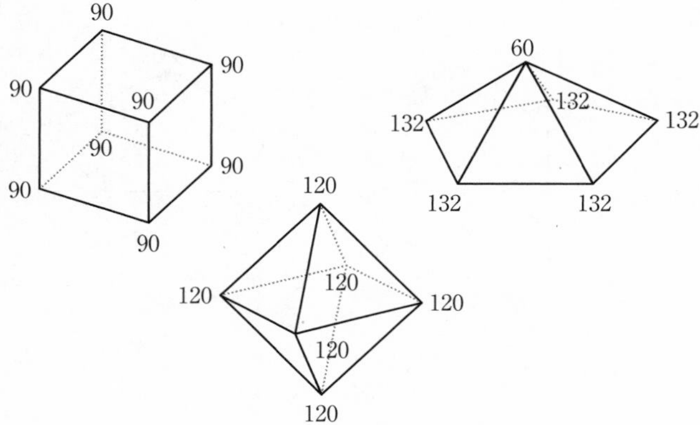

デカルトの定理

不足度の和を求めてみよう。

立方体では90°×8＝720°，正八面体では120°×6＝720°，正五角錐では60°＋132°×5＝720°である。これらは，ちょうど多角形の外角のように，いずれも等しく720°となっている。

このことは，一般にすべての多面体においてあてはまり，「デカルトの定理」とよばれている。この定理を発見したルネ・デカルト（1596〜1650）にちなんだ命名である。

デカルトの定理
どの多面体でも，不足度の和は720°である。

ただし，この定理においては，次図に示すような「穴の空いたドーナツ」のような形は多面体ではないとしている。

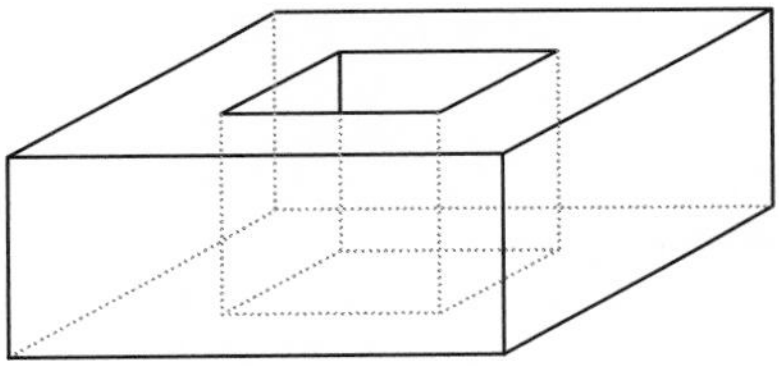

デカルトの定理を証明する

デカルトの定理はどのように証明されるだろうか。

すべての面を三角形に分割する。
面の数をfとすると，すべての面は三角形で，
すべての辺は2つの面で重複して数えられるので，
$3f\div 2$が辺の数eである。つまり，$e=\frac{3f}{2}$である。

各頂点で，360−(頂点に集まる面の角度の総和)を計算する。
頂点の数をvとし，面はすべて三角形なので，外角の総和は，
$360v-180f$である。
また，オイラーの多面体公式$v-e+f=2$に，
$e=\frac{3f}{2}$を代入すると，$v-\frac{f}{2}=2$である。

よって，外角の総和は$360v-180f=360\left(v-\frac{f}{2}\right)=720$である。

頂点，辺，面に加え，不足度をまとめた表を次に示す。不足度が720 ÷(頂点の数) であることを確認してほしい。

	記号	頂点の数	辺の数	面の数	頂点の 不足度
正四面体	[3,3,3]	4	6	4	180°
正六面体	[4,4,4]	8	12	6	90°
正八面体	[3,3,3,3]	6	12	8	120°
正十二面体	[5,5,5]	20	30	12	36°
正二十面体	[3,3,3,3,3]	12	30	20	60°
切頂四面体	[3, 6, 6]	12	18	8	60°
切頂六面体	[3, 8, 8]	24	36	14	30°
切頂八面体	[4, 6, 6]	24	36	14	30°
切頂十二面体	[3, 10, 10]	60	90	32	12°
切頂二十面体	[5, 6, 6]	60	90	32	12°
立方八面体	[3,4,3,4]	12	24	14	60°
二十・十二面体	[3,5,3,5]	30	60	32	24°
斜方立方八面体	[3,4,4,4]	24	48	26	30°
斜方二十・十二面体	[3,4,5,4]	60	120	62	12°
斜方切頂立方八面体	[4,6,8]	48	72	26	15°
斜方切頂二十・十二面体	[4,6,10]	120	180	62	6°
変形立方体	[3,3,3,3,4]	24	60	38	30°
変形十二面体	[3,3,3,3,5]	60	150	92	12°

(!) 多面体においても，多角形と同様の外角（不足度）の定理が成り立つ。多角形と比較しながら確認してみよう。

10.5 「多面体の展開図」に関する未解決問題

立体が複雑になると，展開図のパターンはかなりの数にのぼる。たとえば正十二面体と正二十面体では，4万3380通りである。

立方体の一部が切り取られたような立体を考えてみよう。

この立体をある辺で切ると，平らにすることはできるが，平面上で重なりがある展開図が得られる。また，別の辺を切れば，平面上でも重なりがない展開図を得られる。

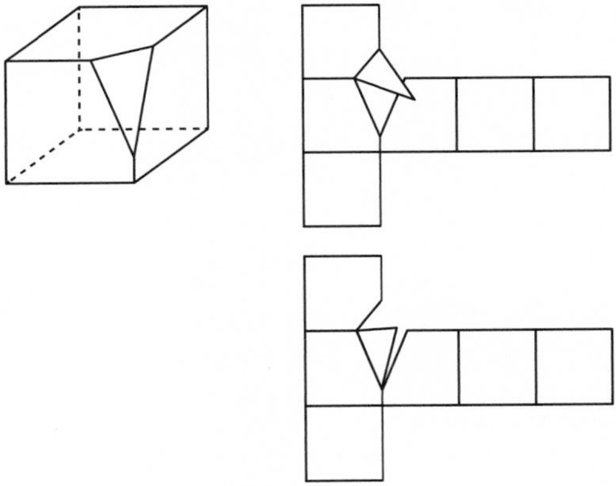

そこで，「どんな多面体も平面上で重なりのない展開図をもつのか？」という疑問が生まれる。

この問題は，じつは，へこみのない多面体（凸多面体）では未解決問題である。つまり，へこみのないどの多面体も平面上で重なりのない展開図をもつといえるのか，へこみのない多面体でどう展開しても平面上で重なりをもつ特別な多面体が存在してしまうのかが，わかっていない。

未解決問題

へこみのない多面体は，平面上で重なりのない展開図をもつか。

ちなみに，へこみのある多面体では，どう展開しても平面上で重なりをもつ特別な多面体が存在することがわかっている。例として，次図のように，立方体から12個の小さい立方体を取り除いた多面体がある。

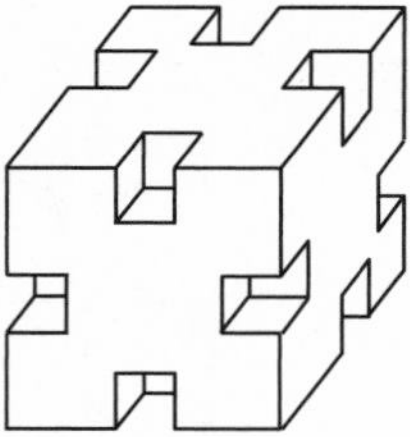

この多面体の展開図を作ろうとすると，どのように辺を切り取ったとしても，へこみの部分で必ず重なりができてしまう（『幾何的な折りアルゴリズム』〔エリック・D・ドメイン，ジョセフ・オルーク著，上原隆平訳，近代科学社，2009〕p.337参照）。

① 多面体の展開図には，素朴な疑問のような未解決問題が残っている。他にも興味深い問題がないか，探ってみよう。

10.6 「面内部」を切り取る展開図

前節までは，辺のみで切り取る展開図を見てきた。

この節では，面の内部を切り取ってもよい展開図を考えよう。たとえば次の左図に示すような，立方体の辺のみを切り取る展開図においては，星，五角形，長丸の辺が貼り合わされる。一部の面を切り取って貼ると，右図に示すロケットのような立方体の展開図を作ることができる。

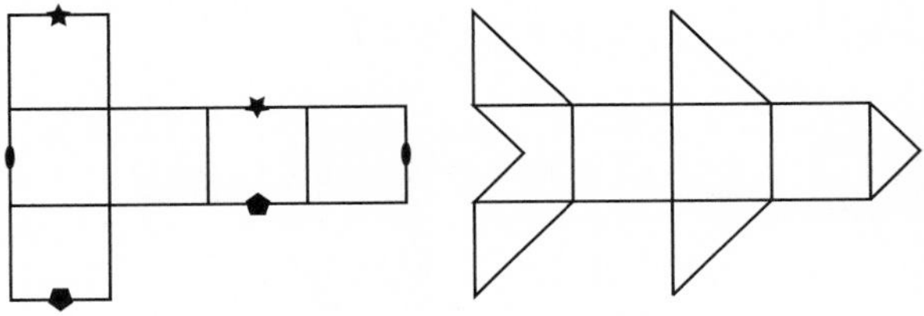

また，長方形を展開図と見なして4辺の中点をとり，破線で折ると，三角錐を作ることができる（次図上）。他にも次図下にある破線で折ると，別の三角錐を作ることができる。これらは，長方形を経済的に使った多面体である。

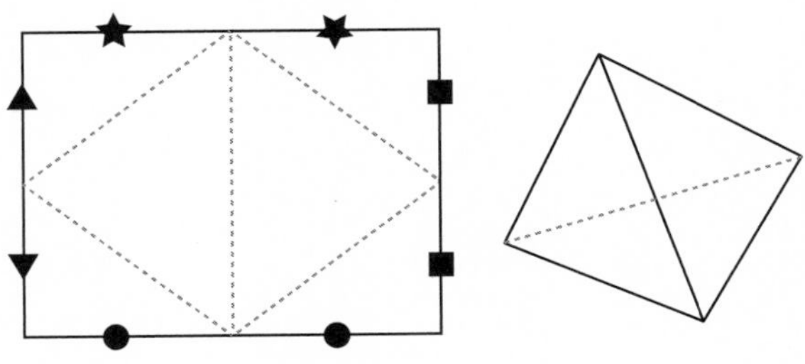

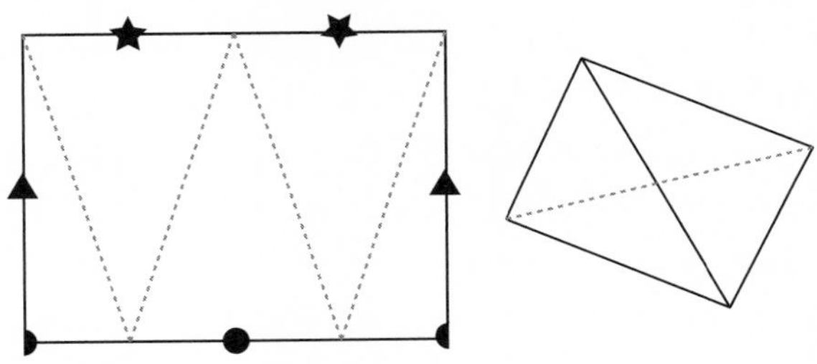

(!) 辺以外でも切ってよいと条件を変えると，多様な展開図を

考えることができる。独自の切り方を試してみて，どんな展開図が得られるかを探究してみよう。

10.7 「立方体の面」を切り取る展開図

「できるだけ小さい長方形から立方体を組み立てよう」という問題が知られている。

1辺の長さが10cmの立方体なら，表面積が10 × 10 × 6 = 600cm^{2}なので，600cm^{2}は必要である。たとえば，次の左図のような展開図では，30 × 40 = 1200cm^{2}の面積が必要である。

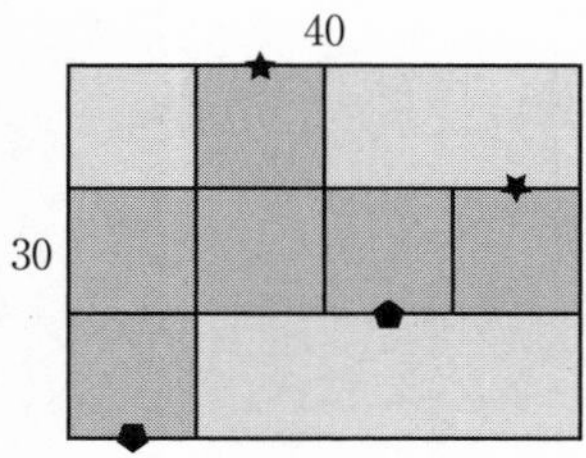

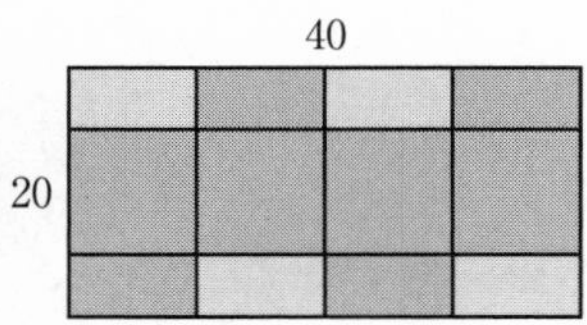

しかし，右図のような展開図であれば，20 × 40 = 800cm^{2}の面積ですむ。さらに，次図に示すように斜めにすると，720cm^2($6\sqrt{10} \times 12\sqrt{10}$) ですむ。

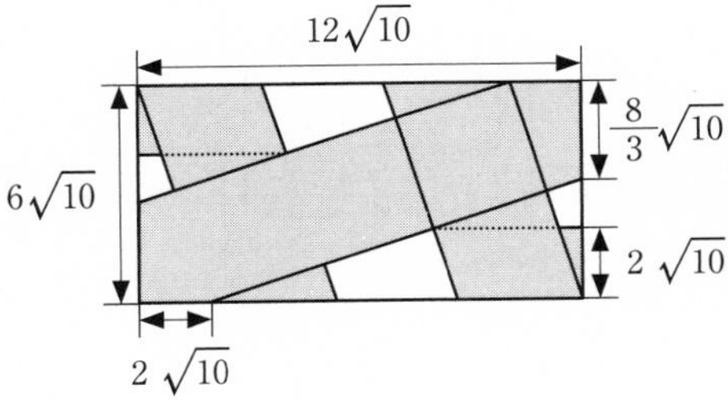

600cm^2 より少しでも大きければ（601cm^2 でも 600.0001cm^2 でもよい），その面積の長方形から立方体を組み立てられることが示されている（『知性の織りなす数学美』，秋山仁著，中央公論新社，2004）。

(!) 形は複雑になるが，立方体に対して経済的な展開図が存在する。さまざまな展開の仕方を考えると，「図形」に対する感覚が鋭くなってくる。

10.8 「2つの直方体を生み出す面」を切り取る展開図

次の図形は，折り目を変えると，異なる直方体ができ上がるというものである。最も短い辺の長さを1とする。

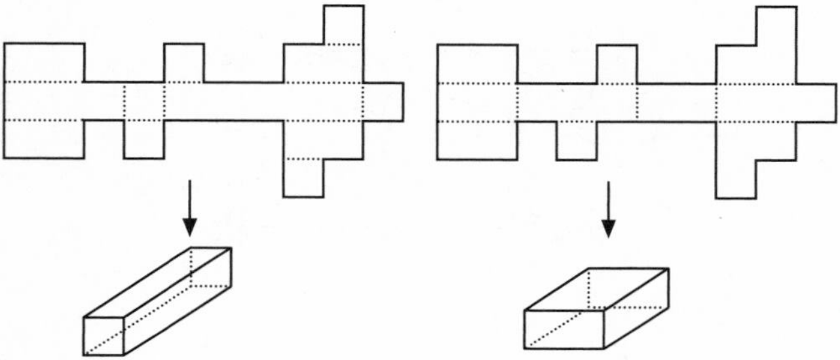

折り目を左図のように決めると $5 \times 1 \times 1$ の直方体が，右図のように決めると $3 \times 2 \times 1$ の直方体が作られる。表面積は 22 で同じだが，体積は 5 と 6 で右のほうが大きい。

興味深いことに，組み立て方を変えると，2つの正多面体が構成される展開図が存在するかどうかはわかっていない（『幾何的な折りアルゴリズム』p.456 参照）。

未解決問題

ある正多面体を（辺以外を含め）切って展開図を作る。
この展開図を組み立てて他の正多面体を構成することはできるか。たとえば，立方体を切って展開図を作り，これを組み立てて正八面体を作れるか。

(!) 折り目を指定しなければ，1つの平面図形から複数の立体図形が現れる展開図が存在する。ここで紹介した以外のものを見つけられるか，探索してみよう。

10.9 身近な多面体

てまりの幾何学

てまり（手毬）は古来，足で蹴る蹴鞠（けまり）とともに，手で突くおもちゃとして親しまれてきた。現代では，幾何学的な装飾をほどこし，主に装飾品として普及している。

てまりの中身は地域によって異なり，米どころではもみ殻が，熊本県ではい草（イグサ）などが使われてきた。最近では，手軽に作るために発泡スチロールの球体を使い，それに糸を巻くこともある。

てまりの美しさや技を競うコンクールも開かれており，秋田県の全国ごてんまりコンクールは1970年から毎年開催され，2024年には第55回を迎える。

てまりは「球」だが，模様の曲線を「まっすぐな辺」だと見ると，正多面体が隠れていることが多い。

てまりにきれいに模様を描くために，「地割り」とよばれる座標のような糸を張る。地割りの基本形には3つあり，次の写真左から「単純 n 等分」（写真は単純 16 等分）「8 等分組み合わせ」「10 等分組み合わせ」とよばれている。

たとえば次の写真に示すように，発泡スチロールの球に，発泡スチロールが見えなくなるまで糸を巻きつけてから地割りをする。

単純 *n* 等分

左上の写真のてまりは，単純 n 等分の 1 つである単純 16 等分の地割りがほどこされたものである。

球を二分する赤道が n 等分されており，北極と南極を結ぶ 8 本の輪がかかることで，赤道は 16 等分されている。このような地割りが，単純 16 等分である。

糸の交わる箇所を頂点と見なすと，単純 16 等分されたてまりの頂点は，北極と南極の 2 個と赤道上に 16 個で，計 18 個である。辺は，北極と南極からそれぞれ 16 本，赤道上に 16 本で，合わせて 48 本ある。面は北半球と南半球にそれぞれ 16 面ずつなので，32 面である。

$18 - 48 + 32 = 2$ より，球面に糸を張り，頂点，辺，面と見なしたものでも，オイラーの多面体公式が成り立っていることがわかる。

どのように作るか

次に作り方を紹介する。

北極と南極に待ち針1，2を刺す。北極と南極の長さを等しく紙に写す。その紙の中点に印をつけて北極と南極を結び，中点に待ち針3を刺す。もう1ヵ所で北極と南極を結び，中点に待ち針4を刺す。待ち針3と4を通り，球を1周するように糸（赤道）を張る。

ここで，赤道上の他の点も，北極と南極の中点を通っているかを確認し，待ち針3と4を外す。単純16等分の場合は，赤道を16等分して，待ち針を刺す。そして，それらの赤道上の針と北極と南極を通るように糸を張っていく。

次の図は，球面であることが伝わるように描かれている。実際には，北極と南極が真上と真下にあるとき，赤道は直線に見える。「裏」とあるのは，「表」の球面の北極と南極を固定して180°回転させて見える球面である。

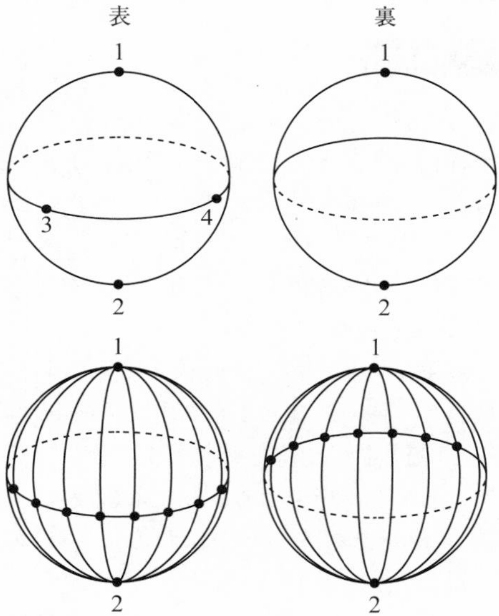

8 等分組み合わせ

単純 16 等分と同じ要領で単純 8 等分をしてみよう。

北極と南極を結ぶ 8 本の輪のうち 4 本には，北極と赤道，南極と赤道を 2 等分する点に待ち針（A, B, C, D, E, F, G, H）を刺す。そして，次図のように A, Y, G の 3 点，C, Y, E の 3 点，D, Z, F の 3 点，B, Z, H の 3 点を通る 4 本の輪を張る。3 点を決めると，球面上の大円（円の中心が球の中心と重なる，その球面上における最大の円）が一つ決まる。

輪が交わった点も頂点と見なし，輪の通る本数を図示したものが右下である。

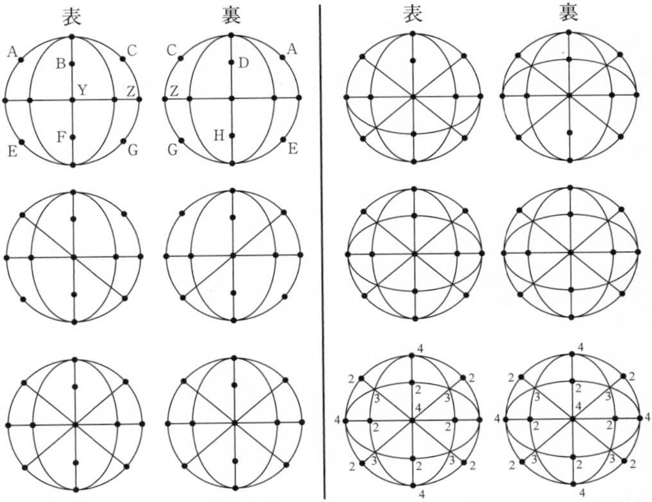

3本の輪が通る8点を結ぶと，立方体が構成されることが確認できる。また，4本の輪が通る6点を結ぶと，正八面体が構成されることが確認できる。

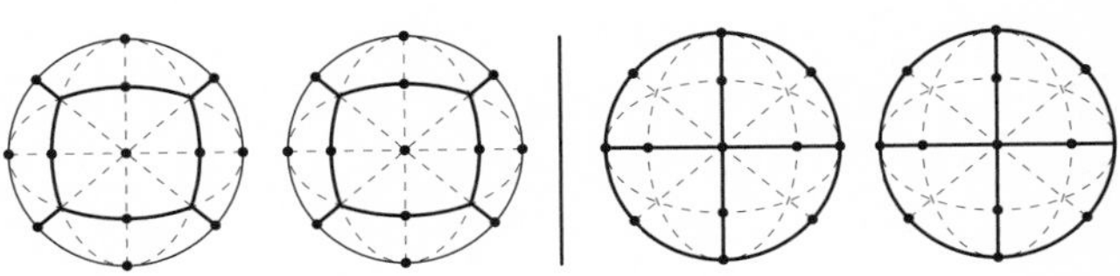

正八面体の各面が6等分されているような形であると捉えられる。頂点の数は，正八面体の頂点6個，12本の各辺の中点に1個，8つの各面に1個で，計6 + 12 + 8 = 26

個である。

辺の数は，正八面体の12本の辺が分けられて24本，三角形の中点から6本の辺が出ているので$6 \times 8 = 48$本，合わせて$24 + 48 = 72$本である。面は正八面体の8つの面に6面ずつあるので，48面である。

$26 - 72 + 48 = 2$で，ここでもオイラーの多面体公式が成り立っている。

10等分組み合わせ

続いて10等分組み合わせを見ていこう。

単純10等分を作り，赤道の糸を取り除く。北極と南極から円周$\times\left(\frac{1}{6}+\frac{1}{100}\right)$の長さのところに，待ち針（A, B, C, D, E, F, G, H）を互い違いになるように刺す。

次図のようにA, C, H, Jを通る輪，A, F, H, Dを通る輪，B, G, I, Eを通る輪，C, F, J, Dを通る輪，A, B, H, Jを通る輪，A, G, H, Eを通る輪，B, F, I, Dを通る輪，C, G, J, Eを通る輪, B, C, I, Jを通る輪, F, G, D, Eを通る輪を順に張る。

糸の交点も頂点と考えると，210ページの図のように正十二面体や正二十面体が隠れていることに気づく。

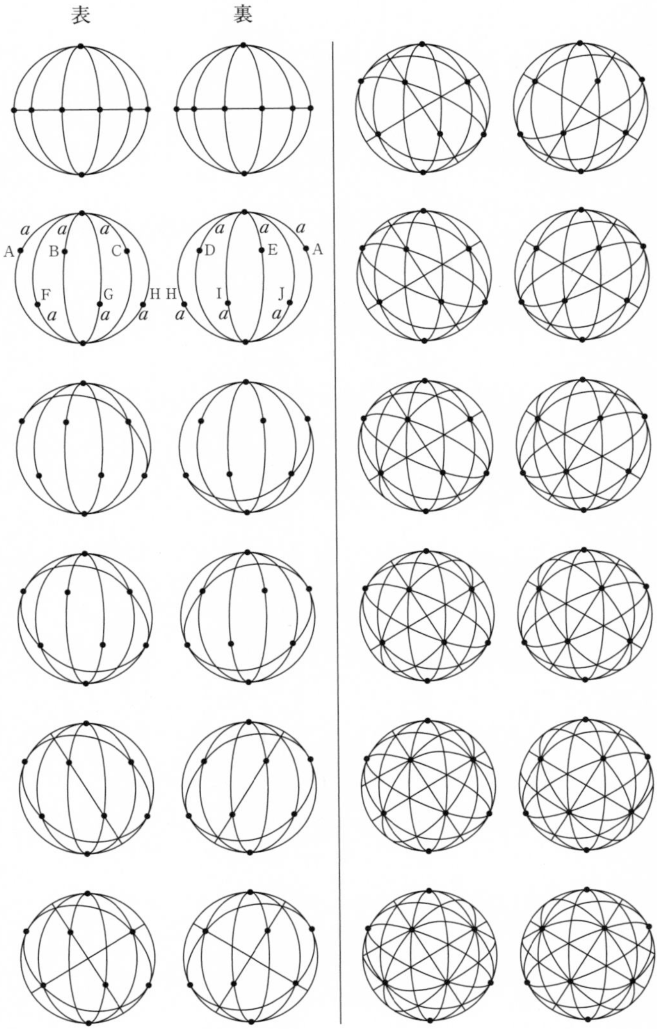
表
裏
a
A
B
C
D
E
F
G
H
I
J

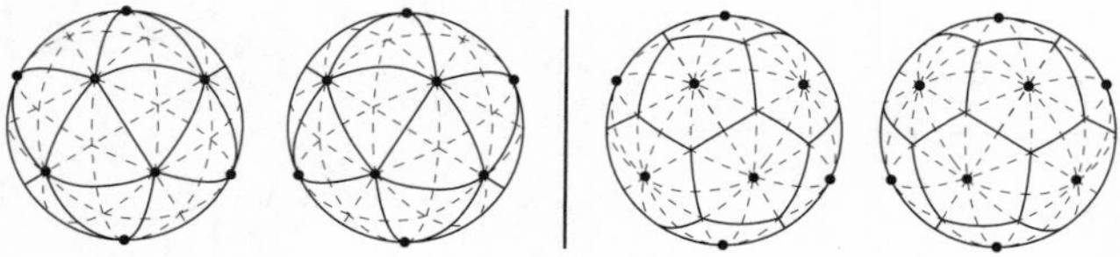

これは，正十二面体の正五角形の面が10等分されていると考えられる。頂点は，正十二面体の頂点で20個，辺の中点で30個，各面の中心にある12個で，計62個である。

辺は，正十二面体の30本が中点で分けられて60本，正五角形の中点から10本の辺が各面から出ているので10 × 12 = 120本で，合わせて，60 + 120 = 180本である。面の数は，正十二面体の正五角形が10等分されているので，10 × 12 = 120である。

62 − 180 + 120 = 2で，やはりオイラーの多面体公式が成り立っている。この公式の威力のすごさに驚かれるだろう。

これらの地割りを基本とし，さらに細かくした地割りから模様を描いたてまりもある。地割りの多様性や地割りのどこをどう通すかで，彩り豊かな幾何学模様が生まれる。

次の写真に示すてまりは，10等分組み合わせの点を取ると見ることのできる正十二面体や正二十面体を使った模様である。

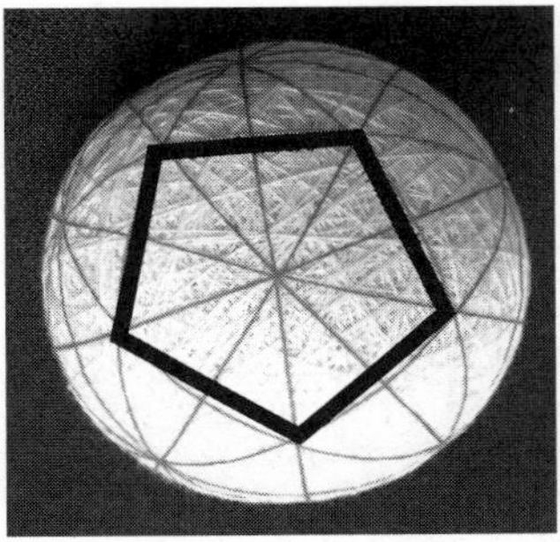
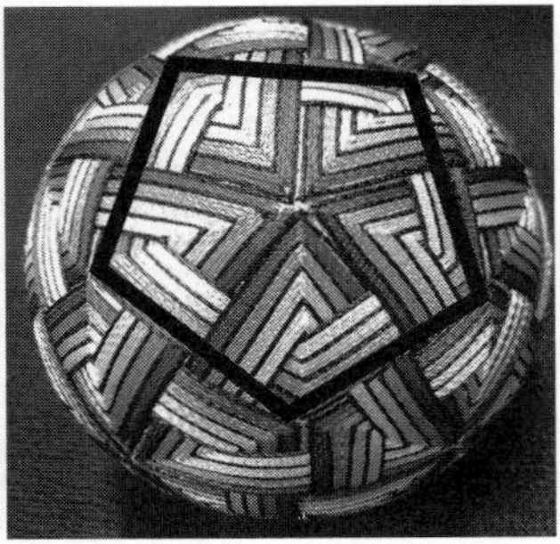

正十二面体の正五角形の対応が太線で示したように見てとれる。

① 美しさの中には，対称性や正多面体が隠れている。

日常にある多面体

ふだんの生活の中で，多面体を探してみるのも面白い。その多面体が使われている理由は何か，メリットなどに頭をめぐらせることも，「図形」センスを磨く格好のトレーニングになる。

たとえば，お菓子が入れられている箱や袋には，さまざまな多面体が使われていることがある。

四面体の袋は丈夫でつぶれにくく，中のお菓子が欠けたり崩れたりしないよう守ってくれていると考えられる。

最近はあまり見かけなくなったが，以前は牛乳などの飲み物も「テトラパック」とよばれる四面体に入れて売られていた。丈夫なことに加え，運搬時の詰め込みやすさから使われていたものと考えられる。

六角柱には手に持ちやすいという特徴がある。

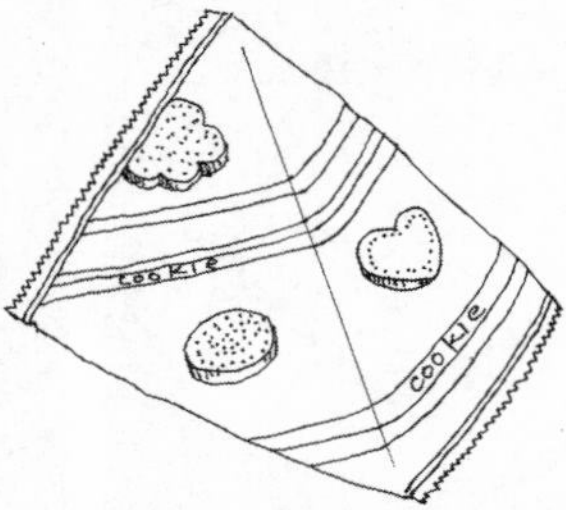

公園では，多面体をいくつか合わせて作った遊具を見かけることがある。筆者の住まいの近所にある公園には，正十二面体を4つ組み合わせて作った遊具が置かれている。

岐阜駅近くにある公園には，立方八面体を3つ組み合わせて作った遊具が置かれている。

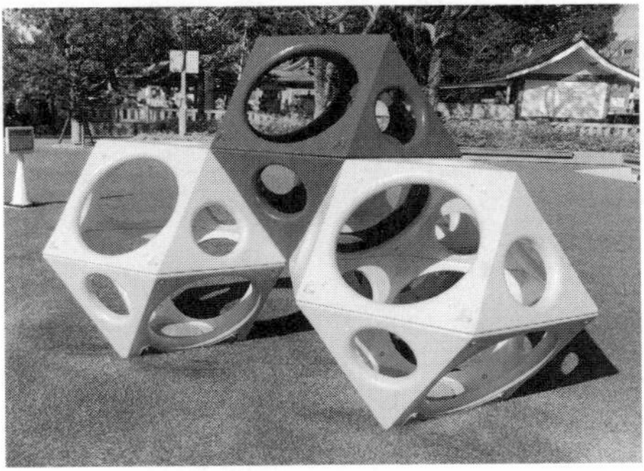

また，筆者の勤務先である岐阜大学には，医学部附属病院の付近に非常用の水を蓄えるサッカーボール（切頂二十面体）形の貯水タンクが2基ある。

(!) みなさんの身近にも必ずたくさんの多面体がひそんでいるはずだ。発見したら，展開図を想像してみるなど，本章で探究したことを確認してみてほしい。

第11章 「平面の敷き詰め問題」の探究で磨く

歩道や商店街を歩いていると，床や壁にさまざまな形をしたタイルが敷き詰められているようすを見ることがある。

筆者が身近で見つけた例をいくつか示すが，どんな形のタイルを，どのように組み合わせると隙間なく敷き詰めることができるか，考えたことがあるだろうか。

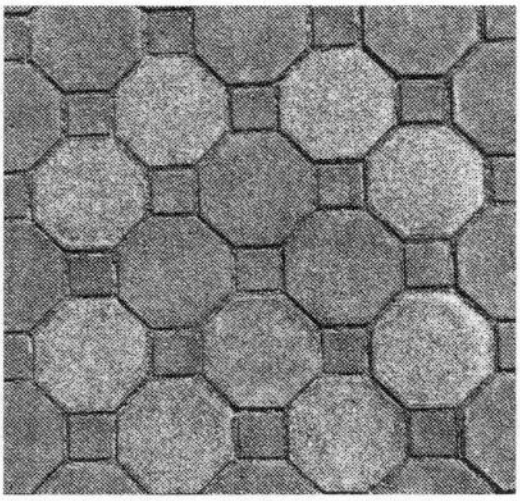

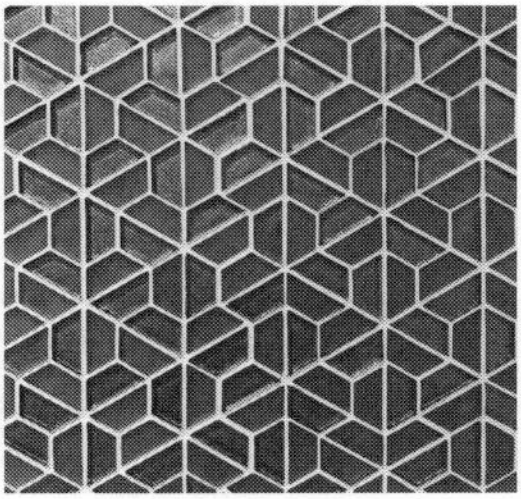

小学校では，正方形や正三角形を平面に敷き詰めることを学ぶ。中学2年生では，隙間なく敷き詰めるための重要な要素となる，多角形の角や外角について学ぶ。

じつは，平面を多角形で敷き詰めることは幾何学上の重要テーマであり，「平面の敷き詰め問題」を探究することで「図形」に対するさまざまな性質を知ることができる。

本書の締めくくりとなる最終第11章では，奥深い「多角形の敷き詰め」について深掘りしてみよう。

この章のポイントは，次の4つである。

- **どんな形の図形であれば，平面を敷き詰められるか。三角形，四角形と形を変えながら試してみよう。**
- **「へこみのある」図形を使うと，「敷き詰め問題」はどう変わるか。**
- **正五角形は平面を敷き詰めることができない。では他の五角形なら？**
- **「敷き詰める」数学の奥深さを知ろう。**

11.1 三角形の敷き詰め

どんな三角形でも，その三角形で平面を隙間なく敷き詰めることができる。

三角形ABCにおいて，平行移動して頂点Cに頂点Aを重ね，辺ABの中点を中心に180°回転して頂点Cに頂点Bを重ねて，2つの三角形で平行四辺形を作る。これを縦と横に並べれば平面を敷き詰めていける。

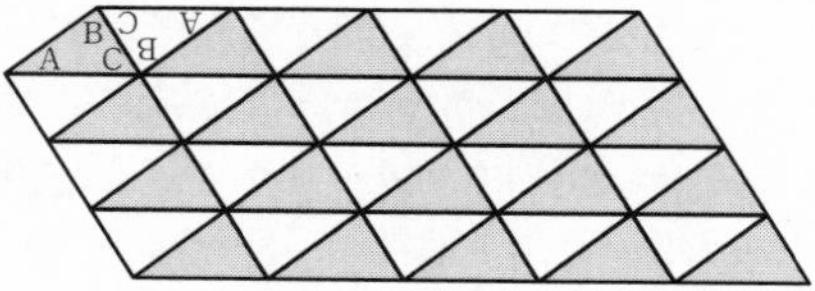

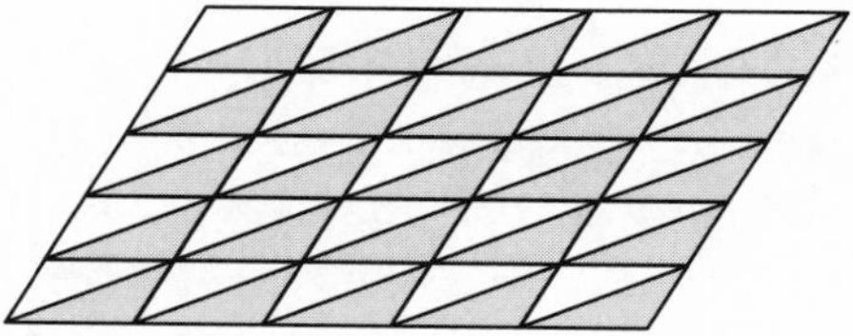

特殊な三角形として，頂角が120°の二等辺三角形を考える。この三角形では，次図のように頂角を1点に集めた敷き詰めをすることができる。この敷き詰めでは，頂点の集まる個数が箇所によって異なる。このように，三角形によってはさまざまな敷き詰めをおこなうことができる。

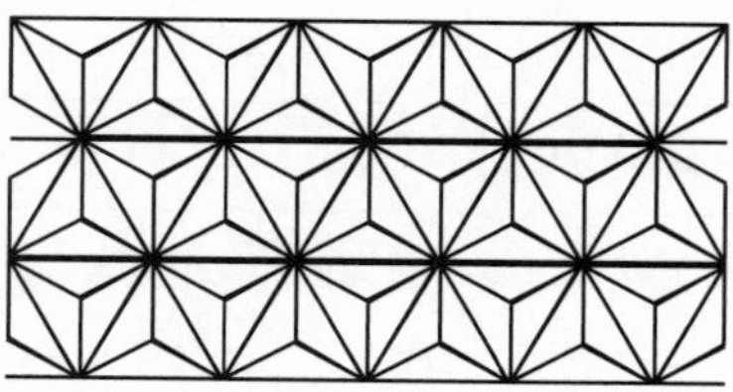

①どんな三角形も同じ規則で敷き詰められる。特殊な三角形は，別の規則で敷き詰められることがある。

11.2 四角形の敷き詰め

四角形ではどうだろうか。

正方形や長方形，ひし形，平行四辺形は，簡単に敷き詰められるとわかる。

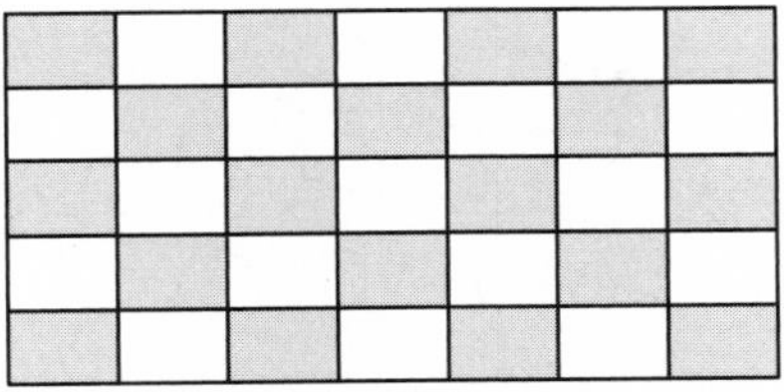

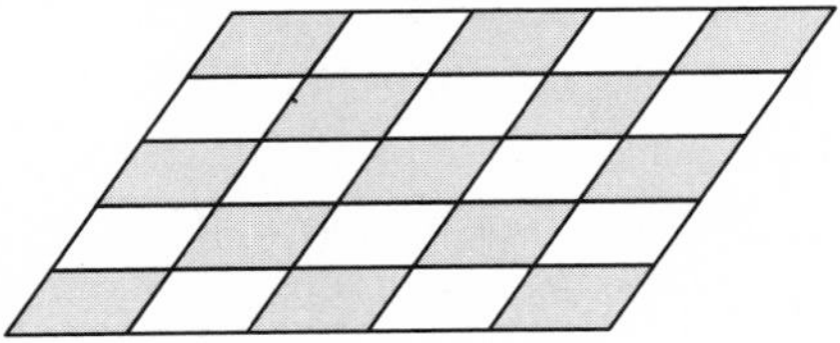

三角形と同じように，四角形を180°回転して頂点にくっつけていくと，頂点まわりに4つの四角形が集まる。四角形4つの頂点が1点に集まっているということは，四角形の内角の和が360°なので隙間がないことになる。

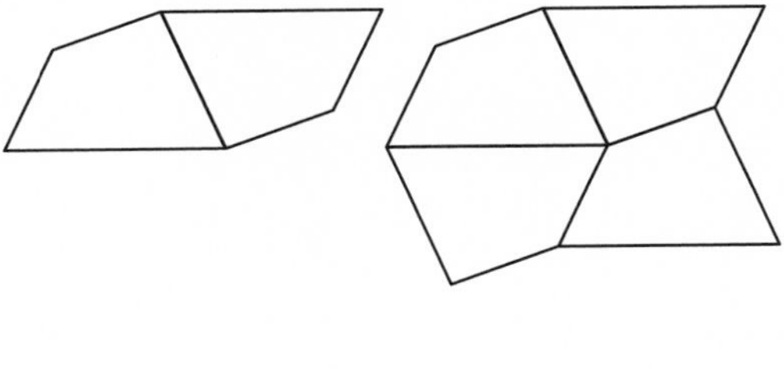

同じ操作を各頂点でおこなっていけば，平面を敷き詰められる。

次の図に示すように，白い四角形どうし，グレーの四角形どうしは平行移動で重なり合う。また，グレーの四角形を 180° 回転すると白い四角形に重なる。

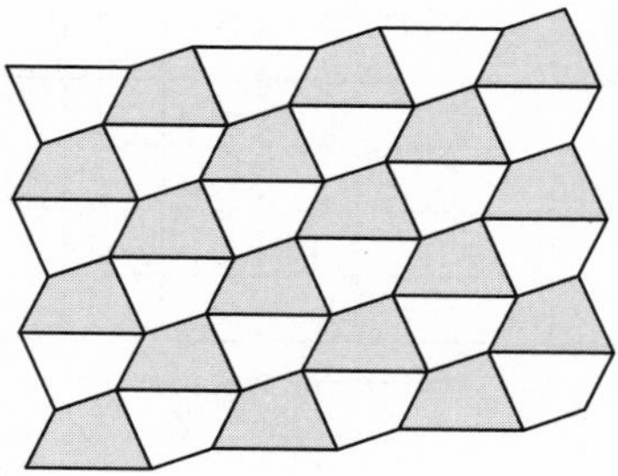

特殊な四角形として，60° と 120° の角をもつ等脚台形を考える。2 個の等脚台形を貼り合わせると正六角形を作ることができ，それを回転させながら敷き詰めると，次図のようになる。

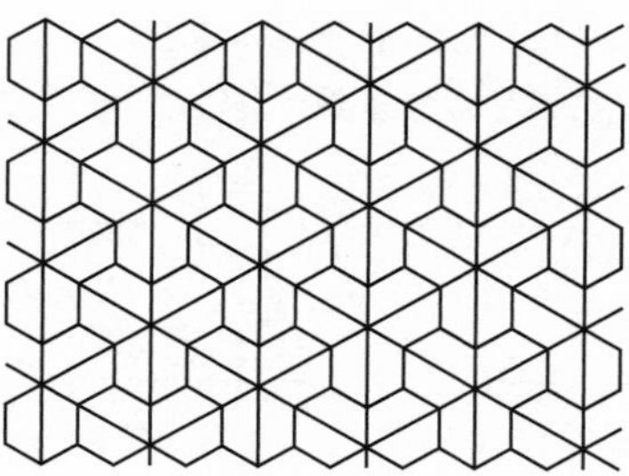

「へこんだ四角形」の場合は？

次に，「へこんだ四角形」について考えてみよう。

へこんだ四角形は「凹（おう）四角形」ともよばれ，内角に 180°より大きい角がある。このような図形を四角形と見なすか否かについては検討の余地があるが，4 辺と 4 頂点をもつので，ここでは四角形と見なしておこう。

また，このような図形の内角の和は，どの凹四角形も 2 つの三角形に分けられることから，四角形と等しく 360° である。外角の和も，負の数を含めて考えると 360° である。

凹四角形も，平面を隙間なく敷き詰めることができる。

先ほどと同様に，白い四角形どうし，グレーの四角形どうしの四角形は平行移動で重なり合う。また，グレーの四角形を 180° 回転すると白い四角形に重なる点も同様である。

(!) どんな四角形も同じ規則で敷き詰められる。特殊な四角形は，別の規則で敷き詰められることがある。

11.3 「1種類の正多角形」の敷き詰め

正三角形と正方形は，それぞれ1種類の形を並べていくことで平面を隙間なく敷き詰められる。すなわち，頂点と辺がきれいに重なるように敷き詰めることができる。

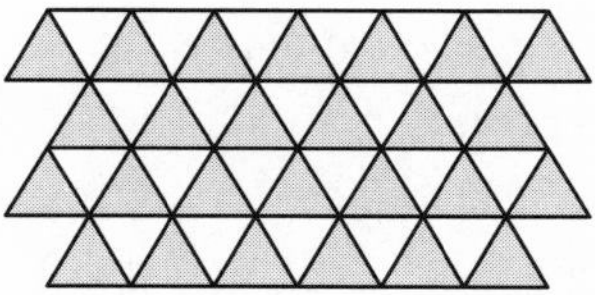

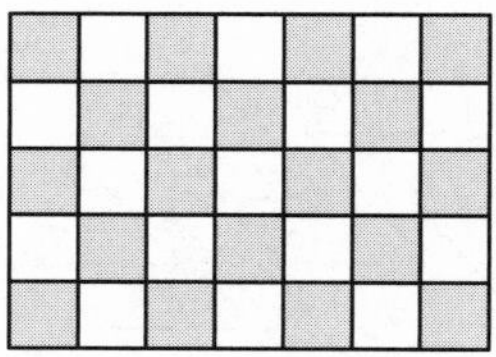

他の正多角形ではどうだろうか。

n 角形の内角の和は $180 \times (n-2)$ なので，正多角形の内角は $180 \times \frac{(n-2)}{n}$ である。

$n = 3, 4, 5, 6, 7, 8, 9, 10, 11, 12$ を求めてみよう。

n	3	4	5	6	7	8	9	10	11	12
内角	60	90	108	120	128.5⋯ $\frac{900}{7}$	135	140	144	147.2⋯ $\frac{1620}{11}$	150

正三角形の内角は60°で，360 ÷ 60 = 6より，6つの正三角形が集まって平面を敷き詰めている。正方形の内角は90°で，360 ÷ 90 = 4より，4つの正方形が集まって平面を敷き詰めている。

1種類の正多角形を，頂点を重ねて敷き詰める場合には，内角が360°の約数であることが必要条件となる。

よって，正六角形は隙間なく敷き詰められそうであり，実際に敷き詰めることができる。この形はハチの巣で見られ，その安定性から「ハニカム構造」などでも用いられている。写真は，筆者が自宅で撮影したハチの巣である。

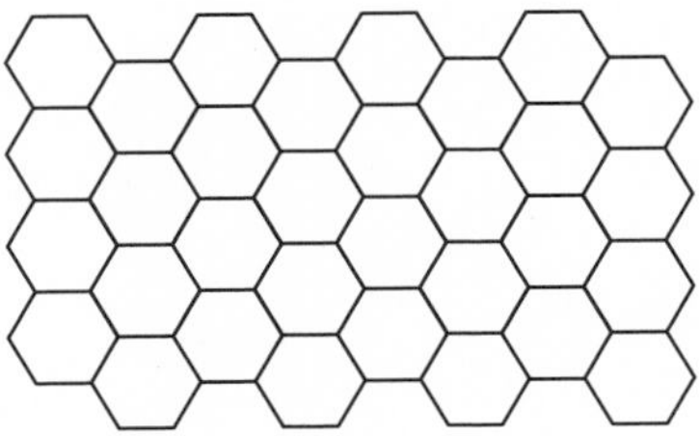

(!) 頂点に集まる面の数は，正三角形では6枚，正方形では4枚，正六角形では3枚である。2枚が集まる場合は，内角は180°であり，そのような正多角形は存在しない。

11.4 数種類の正多角形の敷き詰め

正多面体の面を構成するのは，1種類の正多角形のみである。

第9章で見たように，それを数種類の正多角形に変えると，「アルキメデスの立体」として多様な多面体が姿を現したことを覚えているだろう。それと同様に，数種類の正多角形を用いて平面を隙間なく敷き詰めることを考えよう。

ここでは，すべての正多角形の辺の長さは等しく，頂点は頂点と重なるようにすること，各頂点では正多角形が同じように集まることを条件とする。

まず，正三角形を使うことを考えよう。

正三角形の数	5	4	3	2	1
正三角形の内角和	300	240	180	120	60
残りの角の大きさ	60	120	180	240	300

正三角形が4枚のときは，残りの角の大きさが120°なので，正六角形と組み合わせられることがわかる（[3, 3, 3, 3, 6]）。

正三角形が3枚のとき，辺の少ない正方形の枚数から順に考えよう。

2枚の正方形と組み合わせられ，正三角形，正三角形，正方形，正三角形，正方形の順と，正三角形，正三角形，

正三角形，正方形，正方形の順の2通りを作ることができる（[3, 3, 4, 3, 4]，[3, 3, 3, 4, 4]）。

180°を1枚の正多角形では埋められないので，必ず2枚以上の正多角形が必要である。また，180 ÷ 2 = 90なので，辺の数が4本以下の正多角形が必要である。よって，正三角形が3枚の場合を考え終えたことになる。

正三角形が2枚と1枚のとき

正三角形が2枚のときはどうなるだろうか。

今回も，辺の少ない正方形の枚数から順に考えよう。正方形を2枚使うと，残りは60°しかない。正方形1枚を使うとすると，残りは150°であり，これは正十二角形の内角である。しかし，これでは規則性のある敷き詰めはできないことがわかる。

次に，正六角形を2枚使うと残りはなくなり，平面を敷き詰められる（[3, 6, 3, 6]）。ただし，後述するように，頂点まわりが正三角形，正三角形，正六角形，正六角形の順では敷き詰めることができない。残りは240°で，辺が7本以上の正多角形を組み合わせると，辺が6本未満の正多角形を入れないといけない。よって，正三角形2枚の場合を考え終えたことになる。

正三角形が1枚のときも，これまでと同じく辺の少ない正方形の枚数から順に考えていく。正方形が2枚のとき，残りは120°で正六角形を敷き詰めればよいとわかる（[3, 4, 6, 4]）。他に，正十二角形が2枚のものが見つかる（[3, 12, 12]）。それらを含む数種類の正多角形の敷き詰めを示したのが，次の図である。

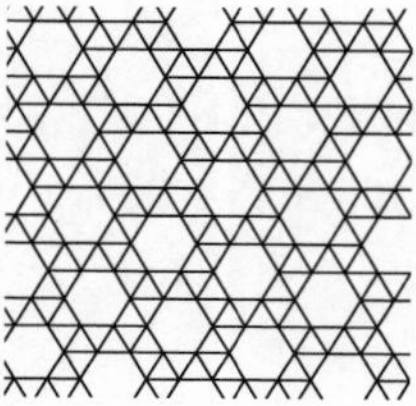

[3, 3, 3, 3, 6]

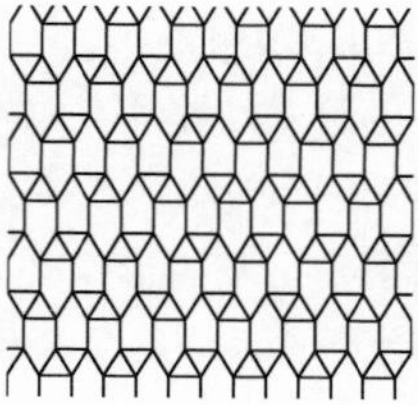

[3, 3, 3, 4, 4]

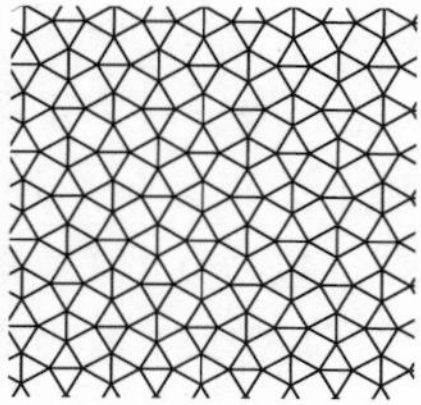

[3, 3, 4, 3, 4]

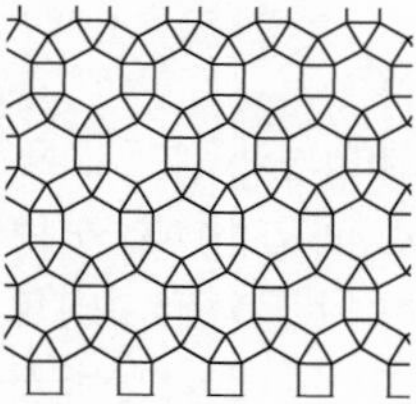

[3, 4, 6, 4]

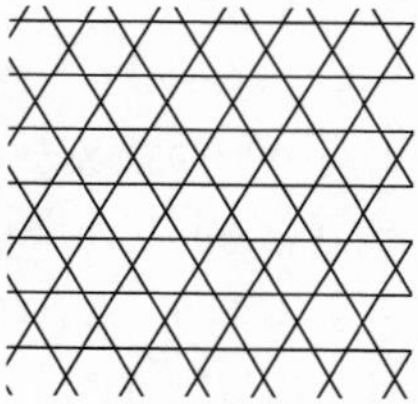

[3, 6, 3, 6]

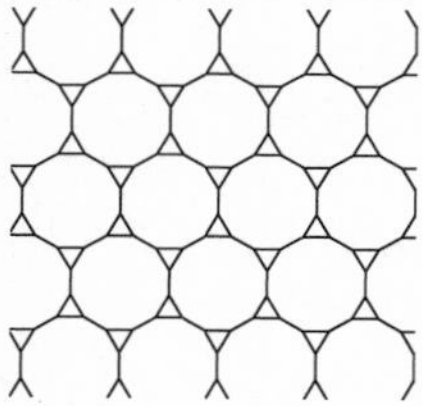

[3, 12, 12]

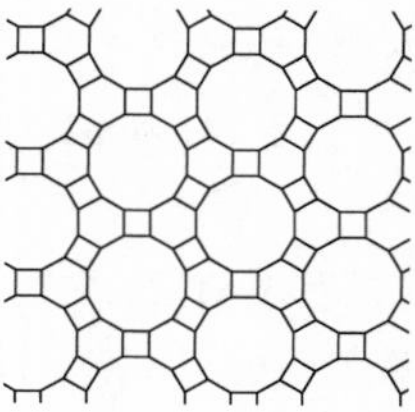

[4, 6, 12]

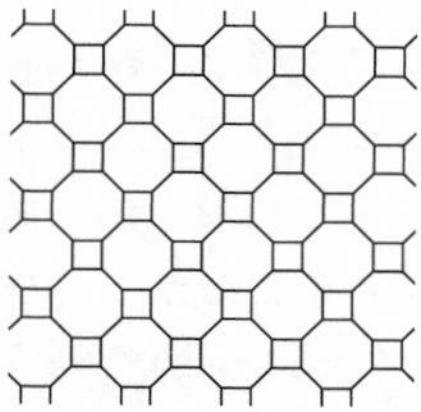

[4, 8, 8]

[3, 3, 6, 6] は，角度の和の条件を満たしているが，平面をうまく敷き詰められない。

なぜなら，1つの頂点に正三角形，正三角形，正六角形，正六角形を集め，その正三角形の1頂点にふたたび正三角形，正三角形，正六角形，正六角形を集めると，1つの頂点に正三角形が3枚集まってしまうからである。

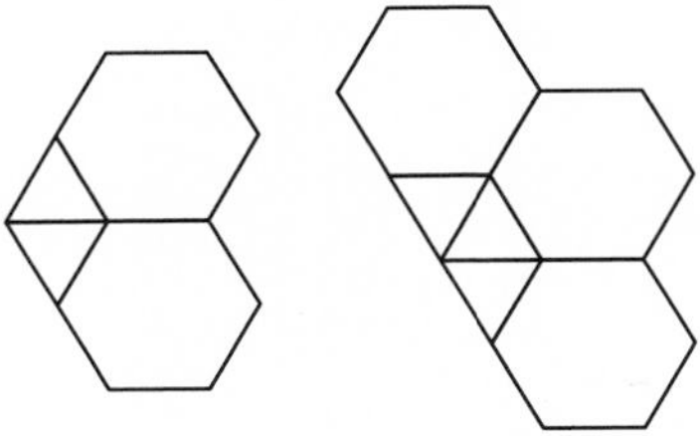

このように，角度の条件を満たしても平面を敷き詰められない場合がある。

正方形を使うと……？

続いて，正三角形を使わずに，正方形を使う場合を考えてみよう。

正方形の数	4	3	2	1
正方形の内角和	360	270	180	90
残りの角の大きさ	0	90	180	270

正方形が2枚と3枚のときは正三角形が必要となるので，正方形が1枚のときの残り270°を考えよう。

正五角形の108°を引くと，162°で正多角形は存在しない。正六角形の120°を引くと，150°で正十二角形と組み合わさり，平面を敷き詰められる（[4, 6, 12]）。

正七角形の $128\frac{4}{7}^\circ$ を引くと，$141\frac{3}{7}^\circ$ で正多角形は存在しない。正八角形の135°を引くと，135°で正八角形と組み合わさり，平面を敷き詰められる（[4, 8, 8]）。

135° より大きい数を引くと，残りは 135° より小さいので，正方形を使う平面の敷き詰めは他にないことになる。

正五角形を使う敷き詰めは存在しないことがわかる。

1 枚の正六角形を使うと，残りは 240° である。これを 2 枚の正多角形で埋めると，辺の数が 6 以下の正多角形が必要となる。よって，複数の正多角形を使う敷き詰めは他にないことになる。

(!) 正多角形を組み合わせた敷き詰めは多様にあり，歩道にも見られるほど身近にあふれている。どんな組み合わせでどう敷き詰められているか，探索してみよう。

11.5 凹多角形の敷き詰め

11.2 節で見た凹四角形のような，凹多角形の敷き詰めを考えてみよう。

じつは，平面を隙間なく敷き詰められる凹八角形や凹二十角形が存在する。正六角形の敷き詰めを用いて，2 つの点対称な図形に分ければよい。

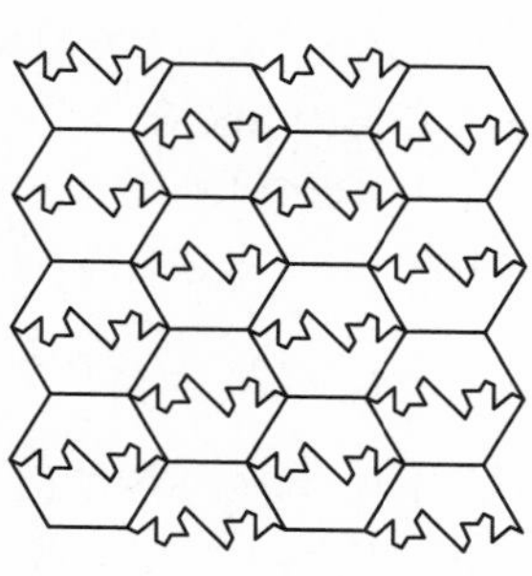

① どんなに辺の数の大きい凹多角形でも，平面を隙間なく敷き詰められるものが存在する。

11.6 五角形の敷き詰め

正五角形は平面を敷き詰められない。しかし，正五角形でない五角形なら，平面を敷き詰められるものがある。

平面を敷き詰められる五角形を初めて研究したのは，カール・ラインハルト（1895〜1941）である。ラインハルトは，1918年に平面を敷き詰められる5種類の五角形を発見した（後述するタイプ1〜5）。

たとえば，正六角形を半分にした五角形がある。この五角形には，隣接する角が直角であるところがある。

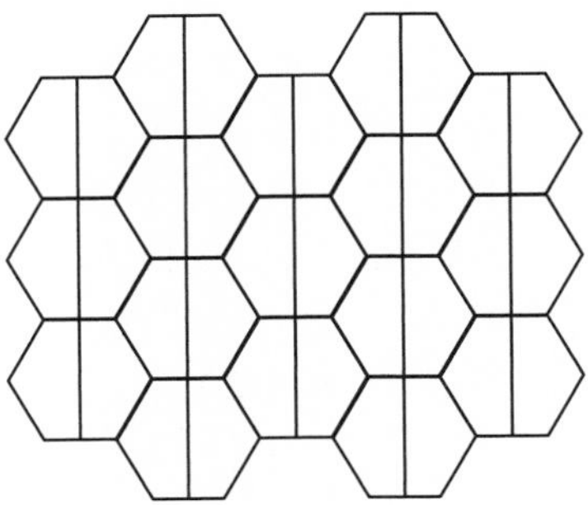

近所を歩いていたら，次図に示すような敷き詰めを発見することができた。

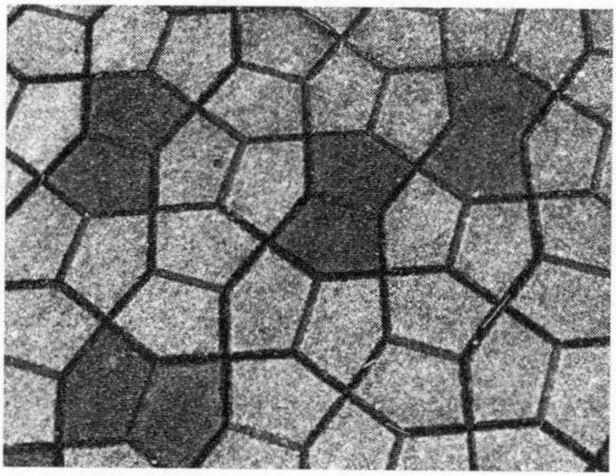

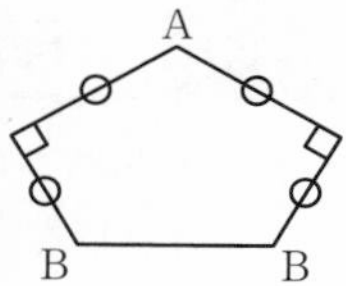

この五角形は，5辺のうち4辺の長さが等しい。

また，角度については，4つの角が1点に集まっているところがあるので，2つの角が90°であるとわかる。

他の角度をA，Bとすると，五角形の内角の和から A + 2B + 180 = 540 である。また，1つの頂点に集まっている角の和から A + 2B = 360 が導かれる。どちらも同じ式なので，Aを自由に決めてよいと考えられる。

たとえば A = 150° とすると，B = 105° であり，敷き詰めが可能である（次図の上）。A = 120° とすると，B = 120° であり，これも敷き詰めが可能である（次図の下）。

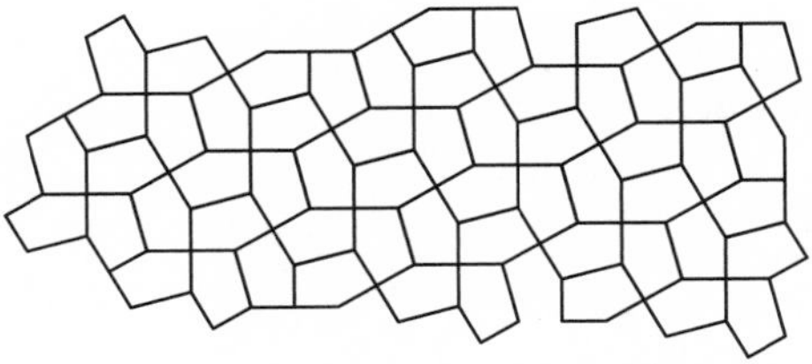

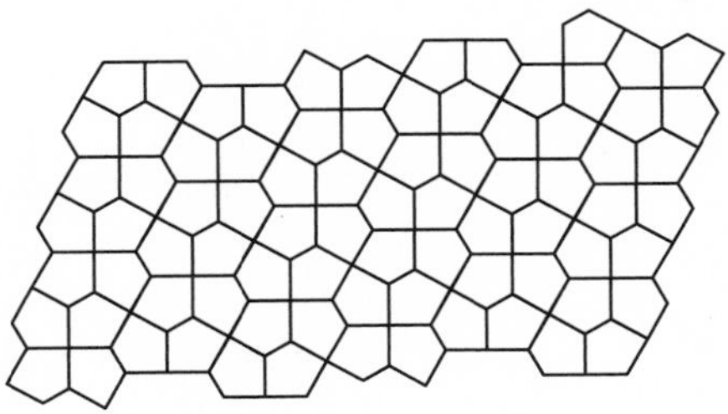

15 種類の敷き詰め方

これらのように，少し角度を変えた程度の五角形は同じであると見なすと，敷き詰められる五角形は，230〜231 ページの図に示す 15 種類であることが知られている。五角形は次図のように頂点が反時計回りに A, B, C, D, E と振られ，辺も a, b, c, d, e と振られている。

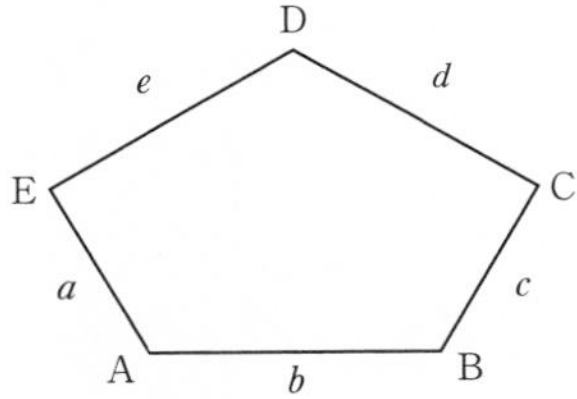

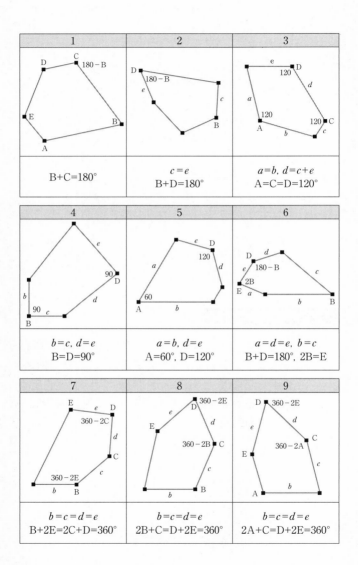

1	2	3
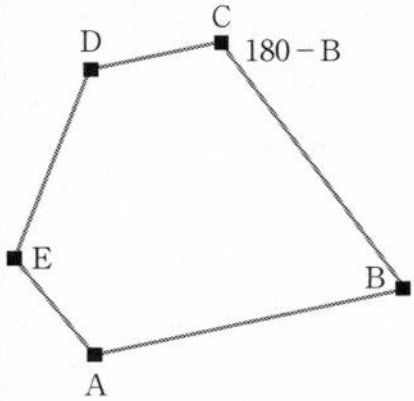	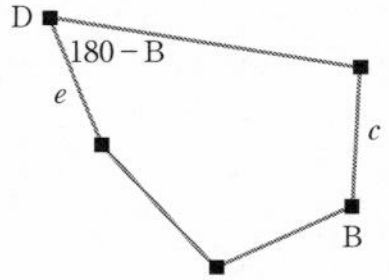	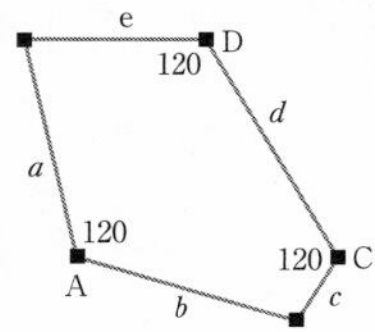
B+C=180°	$c=e$ B+D=180°	$a=b$, $d=c+e$ A=C=D=120°

4	5	6
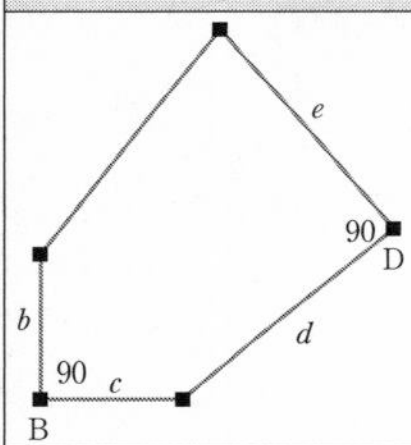	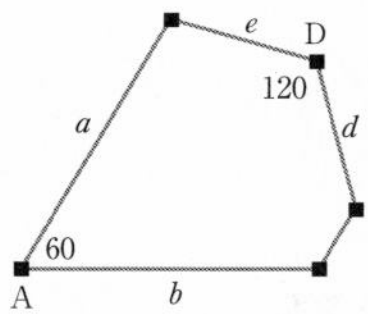	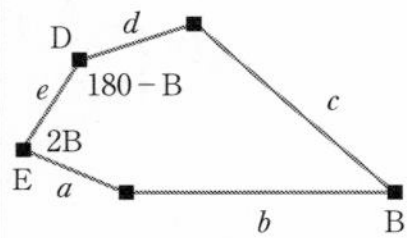
$b=c$, $d=e$ B=D=90°	$a=b$, $d=e$ A=60°, D=120°	$a=d=e$, $b=c$ B+D=180°, 2B=E

7	8	9
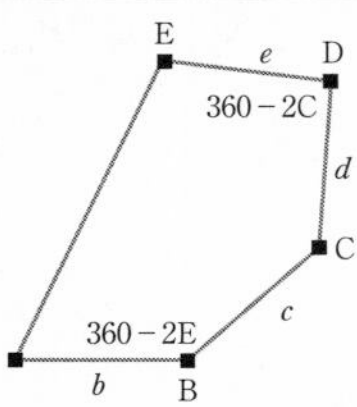	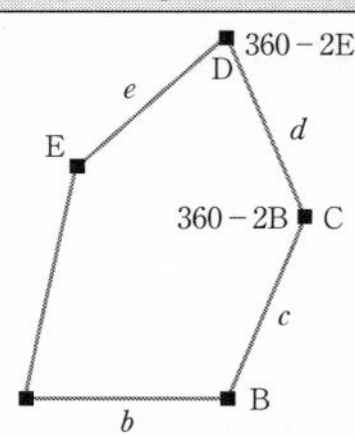	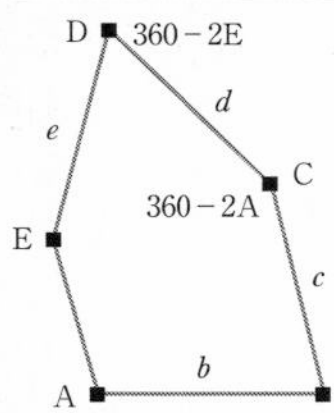
$b=c=d=e$ B+2E=2C+D=360°	$b=c=d=e$ 2B+C=D+2E=360°	$b=c=d=e$ 2A+C=D+2E=360°

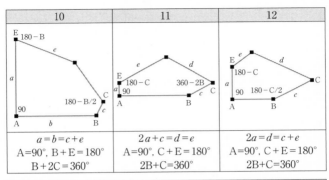

10	11	12
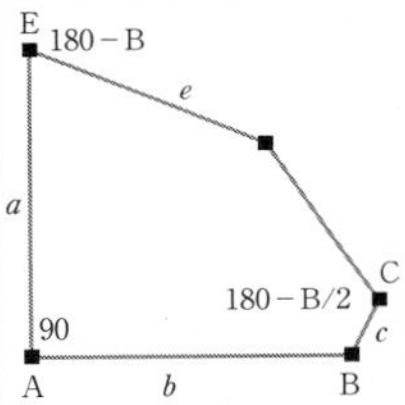	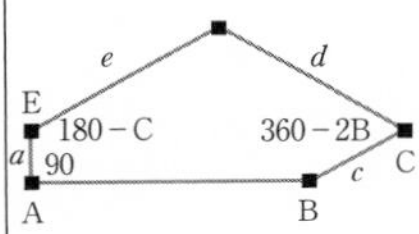	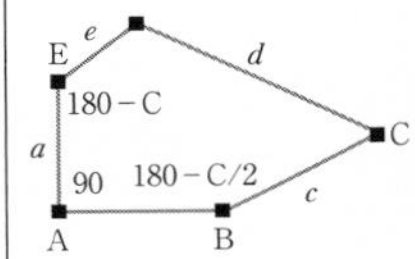
$a=b=c+e$ A=90°, B＋E＝180° B＋2C＝360°	$2a+c=d=e$ A=90°, C＋E＝180° 2B+C=360°	$2a=d=c+e$ A=90°, C＋E＝180° 2B+C=360°

13	14	15
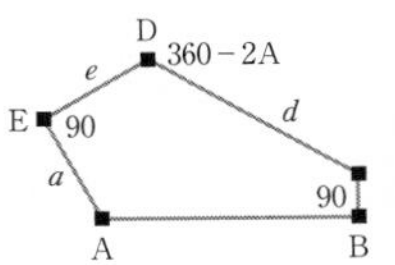	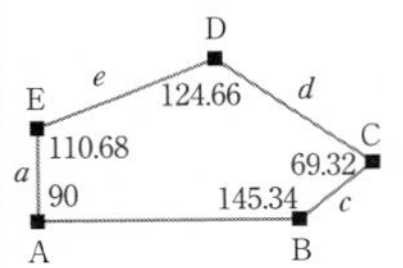	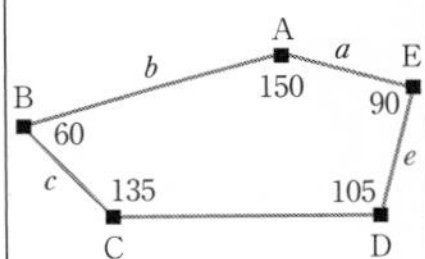
$d=2a=2e$ B=E=90° 2A+D=360°	$2a=2c=d=e$ A=90°, B≈145.34° C≈69.32° D≈124.66° E≈110.68° (2B+C=360°, C＋E＝180°)	$a=c=e$, $b=2a$ A=150°, B=60°, C=135° D=105°, E=90°

このうちのタイプ 4 が，228 ページの図に示した敷き詰めである。ここでの五角形の敷き詰めでは，1 辺に 1 辺が重なり合わなくてもよいこととしている。

タイプ 1〜5 は，1918 年にラインハルトによって発見されたものである。その後，1968 年にリチャード・カーシューはタイプ 6，7，8 の五角形を発見した。1975 年にプログラマーのリチャード・ジェームズはタイプ10の五角形を発見した。

1977年に数学雑誌の記事でタイル貼りを知った主婦であったマージョリー・ライスはタイプ9，11，12，13の五角形を発見した。1985年にロフト・シュタインがタイプ14を，2015年にケーシー・マン，ジェニファー・マックラウド＝マンとダヴィッド・フォン・デラウがタイプ15を発見した。

タイプ1は，2つの五角形をつなげると，次図のように向かい合う3組の辺が平行な六角形が得られ，右ページ上段の左側のような敷き詰めができる。

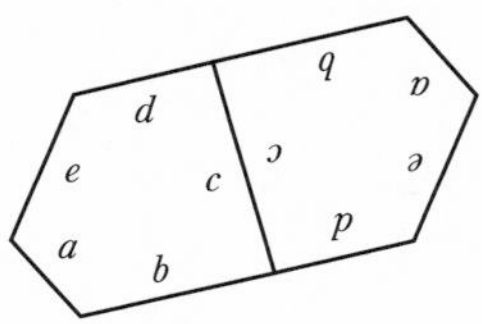

条件を強くして，次図の左のように $a = e$, $b = d$，$c = 2b$，B = C = E = 90° とすると，右ページ上段の真ん中のような敷き詰めが得られる。

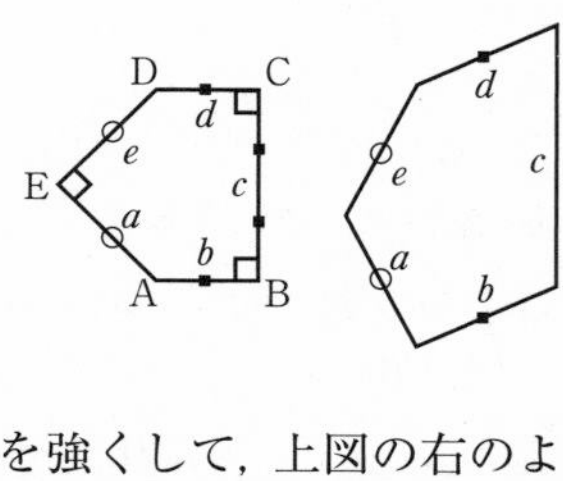

他には，条件を強くして，上図の右のように $a = e$, $b = d$ とすると，右ページ上段の右側のような敷き詰めが得られる。

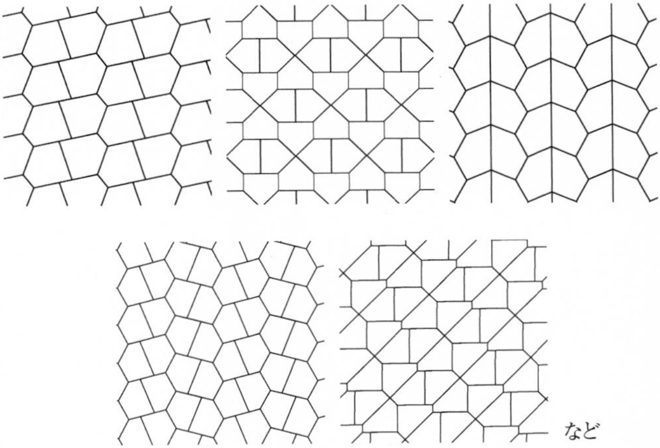

など

タイプ1

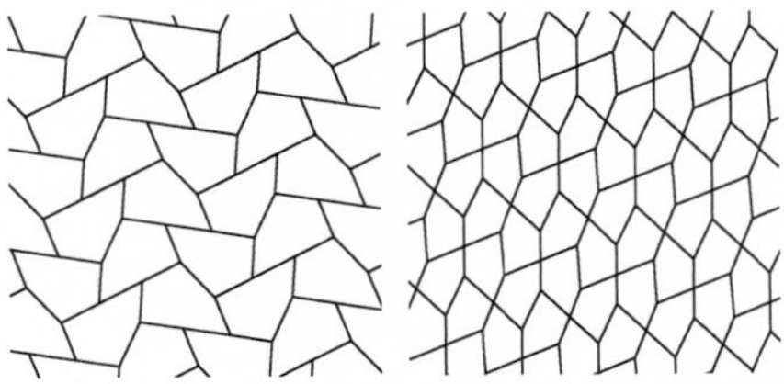

タイプ2

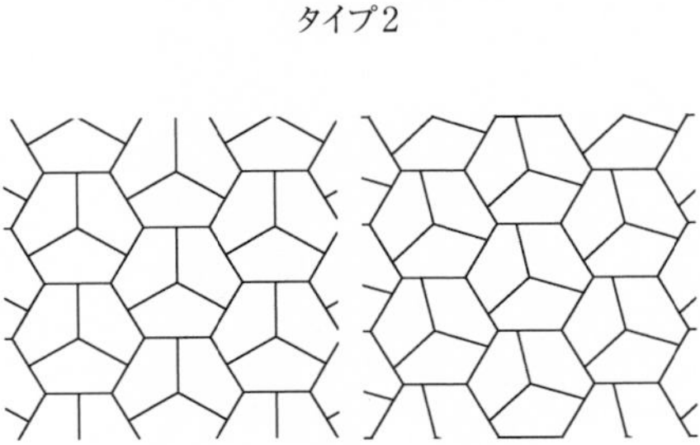

タイプ3

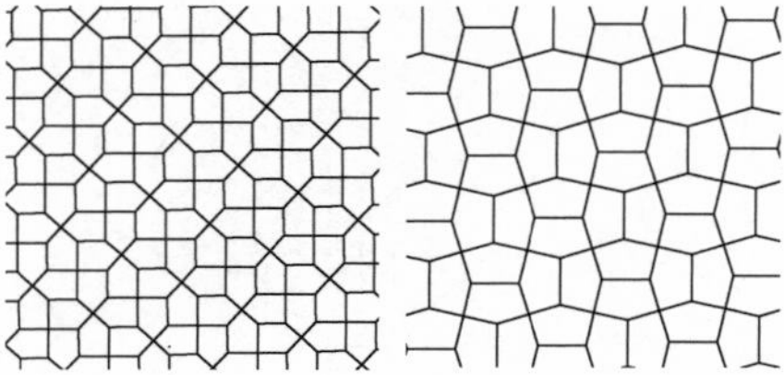

タイプ4

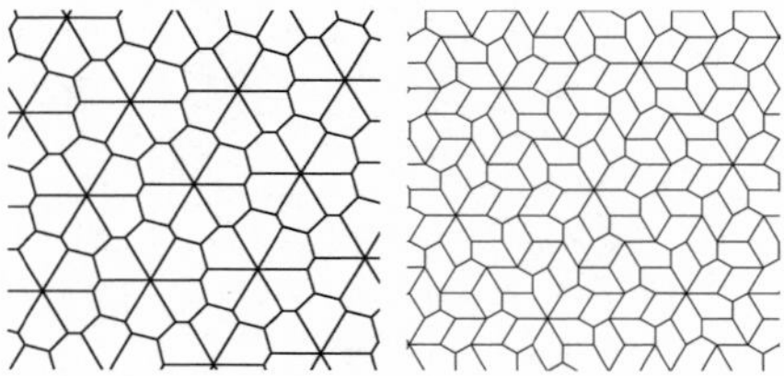

タイプ5

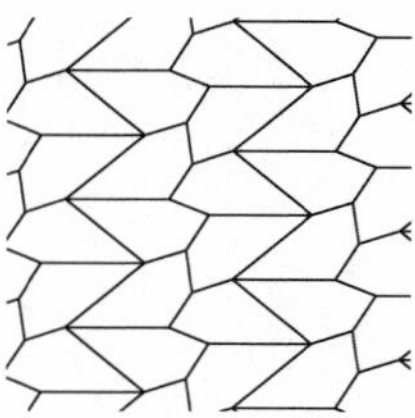

タイプ6

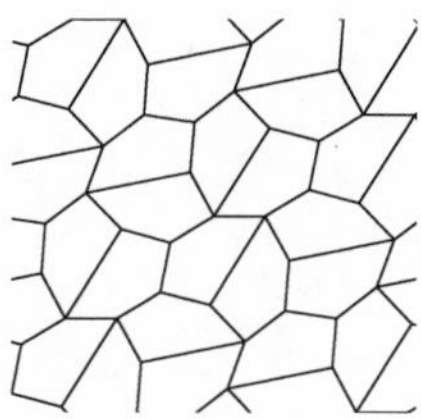

タイプ7

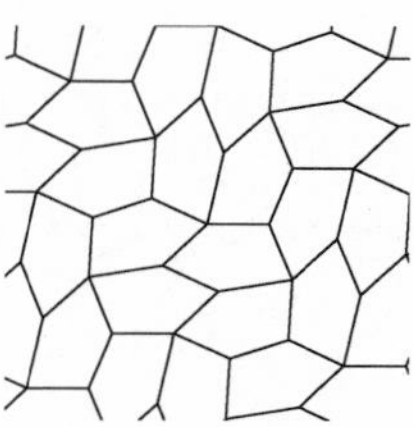

タイプ8

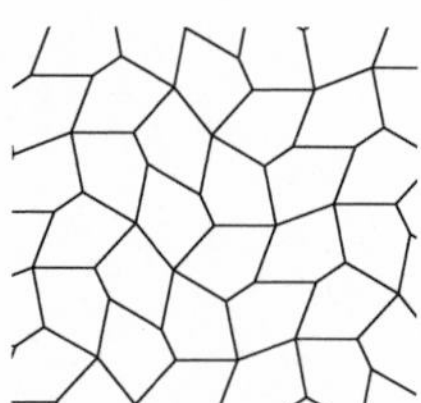

タイプ9

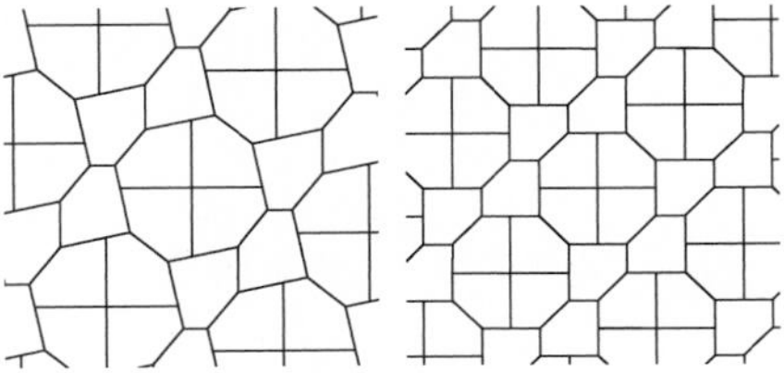

タイプ10

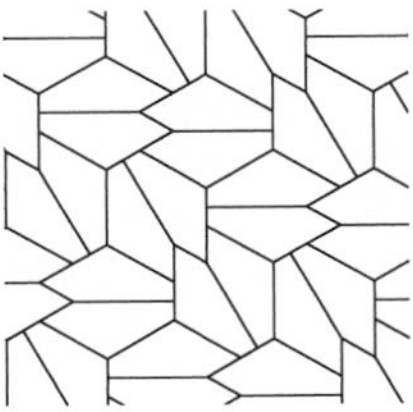

タイプ11

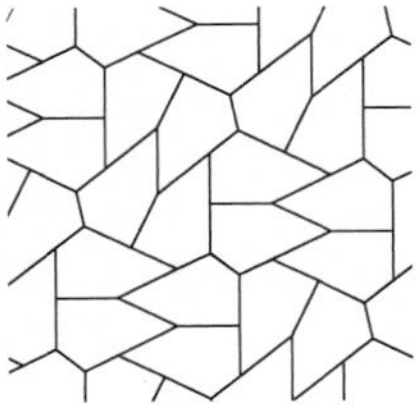

タイプ12

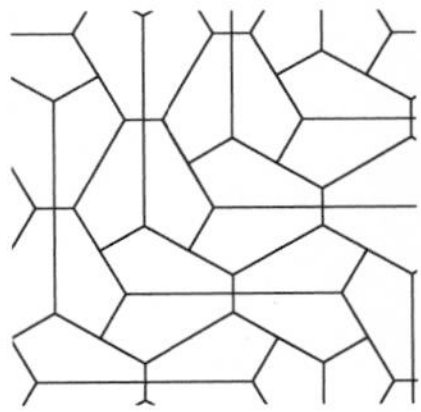

タイプ13

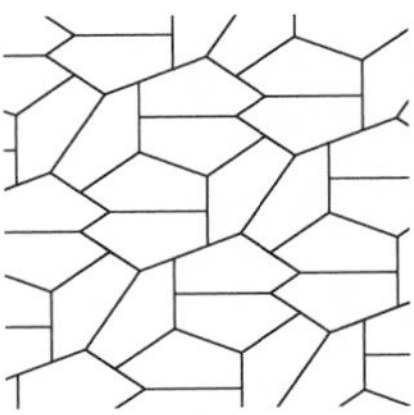

タイプ14

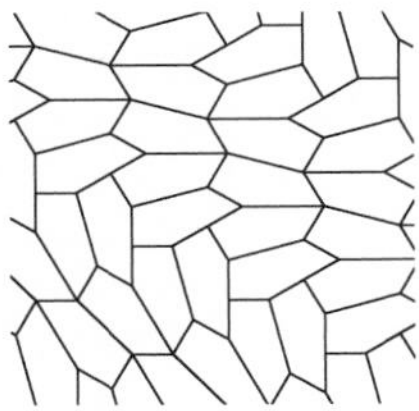

タイプ15

1つのタイプに対して敷き詰めは1通りではない。正六角形の，2つに分けた五角形もこれに分類される。

最近，これらがすべての五角形の敷き詰めであるという主張が提案されているが，2023年末の時点では正式な論文査読を経ていないようである。

(!) 五角形の敷き詰めは想像以上に多種多様であり，奥深い

世界が広がっている。身近な場所や自然の中に敷き詰めを模索してみてはどうだろうか。

11.7 対称性をもたない敷き詰め

前節までの敷き詰めは，平行移動や回転移動（180° 以外の回転を含む）をすると，もとの敷き詰めに重ね合わせることができた。

たとえば，正方形なら辺の長さの分だけ横に移動したり縦に移動したり，頂点を中心として 90° 回転したりすると，もとの敷き詰めと重なる。前節で見た五角形も，平行移動して重ねることができる。

すなわち，このような図形は「対称性（周期性）をもつ敷き詰め」ができる。

一方，2020 年のノーベル物理学賞を受賞したロジャー・ペンローズ（1931〜）は，2 種類のひし形を平面に敷き詰めると，対称性（周期性）をもたない敷き詰めが完成することを発見した。いわゆる「ペンローズ・タイル」である。

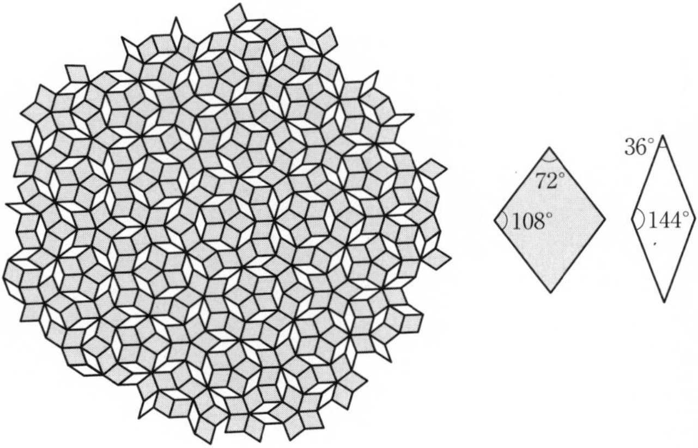

一見すると対称性がありそうだが，どう動かしてもぴったり重ねることはできない不思議な図である。

アインシュタイン問題

これに対し，「アインシュタイン問題」とよばれる未解決問題があった。ドイツ語で「ein stein」が「1枚のタイル」を意味することからの名称である。次の命題が，つい最近まで未解決問題だったのだ。

対称性（周期性）をもつ敷き詰めをできない図形はあるか。

2023年5月になって，「Spectre」とよばれる十四角形を用いることで，裏返すことなく，どのように平面を敷き詰めても対称性（周期性）がない形が発見され，長年の未解決問題を解決したようである。

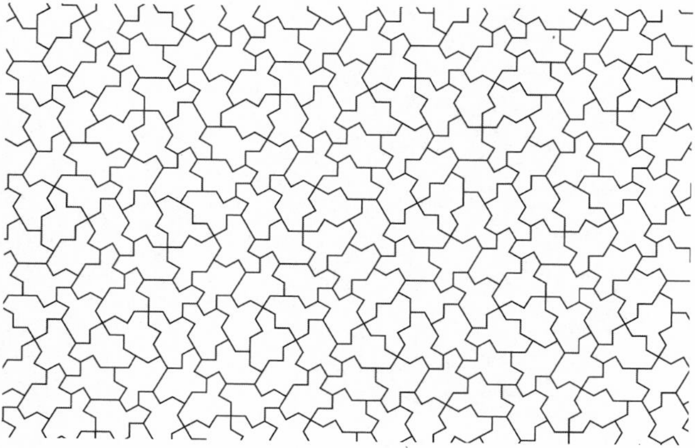

(!)「敷き詰める」数学も日進月歩である。

COLUMN

▶ 表計算ソフトで「循環節の長さ」を求める

分子が1の分数について，表計算ソフトを用いて循環節の長さを求めてみよう。

$\frac{1}{7}$の循環節の長さは6である。余りに着目すると，長さが6であるとわかる。

110ページに示した筆算を見返すと，

1 ÷ 7 = 0 余り 1，10 ÷ 7 = 1 余り 3，
100 ÷ 7 = 14 余り 2，1000 ÷ 7 = 142 余り 6，
10000 ÷ 7 = 1428 余り 4，100000 ÷ 7 = 14285 余り 5，
1000000 ÷ 7 = 142857 余り 1

で，10^1, 10^2, 10^3, 10^4, 10^5, 10^6 を7で割り，初めて余りが1になるのが 10^6 なので，循環節の長さは6であるということである。

別の見方をすると，

1 ÷ 7 = 0 余り 1，10 ÷ 7 = 1 余り 3，30 ÷ 7 = 4 余り 2，20 ÷ 7 = 2 余り 6，60 ÷ 7 = 8 余り 4，40 ÷ 7 = 5 余り 5，50 ÷ 7 = 7 余り 1

とも考えられる。つまり，余りを10倍して7で割り，その余りを10倍して7で割るという操作を繰り返し，1が出てくるまで続ける。

この見方は数が大きくならないので，表計算ソフトで計算しやすい。

実際に，表計算ソフトを使って求めてみよう。

表計算ソフトには余りを出す関数があり，MOD(数値，割る

数）を入れると，数値を割った余りが出てくる。たとえば，「=MOD(14, 3)」を入力すると, 14 ÷ 3 の余り「2」が出力される。

$\frac{1}{7}$の循環節を求めよう。1 行目には長さを入力しておく。2 行目で，余りを順に出力する。A2 に分母を入れ，以下の表のように B2，C2，D2，E2 を入力する。

	A	B	C	D	E
1		1	2	3	4
2	7	=MOD(10,7)	=MOD(B2*10,7)	=MOD(C2*10,7)	=MOD(D2*10,7)

	A	B	C	D	E
1		1	2	3	4
2	7	3	2	6	4

上の値が表示される。これを横にオートフィルして計算させると，MOD にあるアルファベットが連動し，

	A	B	C	D	E	F	G	H	I
1		1	2	3	4	5	6	7	8
2	7	3	2	6	4	5	1	3	2

と続く。6 の下に 1 が現れたので，循環節の長さは 6 であるとわかる。

▶ 表計算ソフトで「カプレカ操作」を実行する

148 ページで登場したカプレカ操作を表計算ソフトで計算させる方法の 1 つを紹介する。

4 桁の数で操作を始める数を A2 に入力し，次のように表示されるものを作ろう。

	A	B	C	D	E	F	G	H	I	J	K	L
1		1000の位	100の位	10の位	1の位	1番大きい	2番目	3番目	4番目	大きい順	小さい順	差
2	5332	5	3	3	2	5	3	3	2	5332	2335	2997
3	2997	2	9	9	7	9	9	7	2	9972	2799	7173
4	7173	7	1	7	3	7	7	3	1	7731	1377	6354
5	6354	6	3	5	4	6	5	4	3	6543	3456	3087
6	3087	3	0	8	7	8	7	3	0	8730	378	8352
7	8352	8	3	5	2	8	5	3	2	8532	2358	6174
8	6174	6	1	7	4	7	6	4	1	7641	1467	6174

与えられた数の各桁の数を取り出す。

1000の位の数は，与えられた数から与えられた数を1000で割った余りを引き，それを1000で割ればよい。100の位の数は，与えられた数を1000で割った余りから100で割った余りを引き，100で割ればよい。

10の位の数は，与えられた数を100で割った余りから10で割った余りを引き，10で割ればよい。1の位の数は，10で割った余りでよい。

	B	C
1	1000の位	100の位
2	=(A2 - MOD(A2,1000))/1000	=(MOD(A2,1000) - MOD(A2,100))/100
	D	E
1	10の位	1の位
2	=(MOD(A2,100) - MOD(A2,10))/10	=MOD(A2,10)

次に，これら4つの数を大きい順に取り出す関数である「LARGE関数」を使う。LARGE（範囲，順位）を入力すると，範囲内にある順位の数が表示される。

	F	G	H	I
1	1番大きい	2番目	3番目	4番目
2	=LARGE(B2:E2,1)	=LARGE(B2:E2,2)	=LARGE(B2:E2,3)	=LARGE(B2:E2,4)

これらに基づいて，大きい順の数と小さい順の数を作る。

大きい順は 1000 ×(1 番大きい) + 100 ×(2 番目に大きい) + 10 ×(3 番目に大きい) +(4 番目に大きい)

小さい順は 1000 ×(4 番目に大きい) + 100 ×(3 番目に大きい) + 10 ×(2 番目に大きい) +(1 番大きい)

	J	K	L
1	大きい順	小さい順	差
2	=F2*1000+G2*100+H2*10+I2	=I2*1000+H2*100+G2*10+F2	=J2-K2

差の数に同じ操作を繰り返すので，A3 に L2 の値を入れるようにして，他の列はオートフィルをすればよい。

▶ 表計算ソフトで「コラッツ算」を探究する

表計算ソフトには，「IF」という場合分けをおこなう関数が用意されている。これを使うと，154 ページで紹介したコラッツ算を容易に計算することができる。

求めたい数を A1 のセルに入れて，A2, A3, A4, …と，次々にコラッツ算をするものを作ろう。A2 には，A1 が偶数なら 2 で割り，奇数なら 3 倍して 1 を足す式を入れたい。

偶数かどうかの判定は，2 で割った余りが 0 か 0 でないかなので，「MOD(A1, 2) = 0」という式で判定できる。

MOD は余りを求める計算で，「MOD(A1, 2)」で A1 の値を 2 で割った余りを求められる。偶数のときは2で割るので

「A1/2」，奇数のときは3倍して1を足すので「A1 ＊ 3 + 1」と入力すればよい。

よって，A2のセルに「= IF(MOD(A1, 2) = 0, A1/2, A1 ＊ 3 + 1)」と入力すれば，偶数のときは2倍，奇数のときは3倍して1を足すことになる。

これをオートフィルすると，A3ではA1の部分がA2になり，1つ上の行にある数を計算していくことになる。A1の値を変えると，A2以降が再計算される。

	A
1	5
2	=IF(MOD(A1,2)=0,A1/2,A1*3+1)
3	=IF(MOD(A2,2)=0,A2/2,A2*3+1)
4	=IF(MOD(A3,2)=0,A3/2,A3*3+1)
5	=IF(MOD(A4,2)=0,A4/2,A4*3+1)
6	=IF(MOD(A5,2)=0,A5/2,A5*3+1)

入力画面

	A
1	5
2	16
3	8
4	4
5	2
6	1

出力画面

奇数に対して，「何倍するか」「何を足すか」の部分を簡単に変えられるようにしよう。「何倍するか」をB1,「何を足すか」をC1に入れることにする。

A2を「= IF(MOD(A1, 2) = 0, A1/2, A1 ＊ B1 + C1)」に変えればよいが，このままオートフィルをすると，B1はB2，C1はC2に変わってしまう。B1とC1の1は増やしたくないので，1の前にそれぞれ$をつける。そして，A2を下にオートフィルすると，以下のように入力がされる。

	A	B	C
1	5	3	1
2	=IF(MOD(A1,2)=0,A1/2,A1*B$1+C$1)		
3	=IF(MOD(A2,2)=0,A2/2,A2*B$1+C$1)		
4	=IF(MOD(A3,2)=0,A3/2,A3*B$1+C$1)		
5	=IF(MOD(A4,2)=0,A4/2,A4*B$1+C$1)		
6	=IF(MOD(A5,2)=0,A5/2,A5*B$1+C$1)		

これで,「何倍するか」を変えたり,「何を足すか」を変えたりして考察することが容易になる。

参考文献

本書の内容をより広く，より深く知りたい読者のために，おおむね本書の内容に登場する順に準じて参考図書を紹介する。

●坪田耕三，坪田耕三の切ってはって算数力（2016），教育出版

教材づくりの巨匠である坪田耕三先生の著書で，九九や展開図の題材が載っている。解説DVD 付き。

●今野紀雄，数はふしぎ（2018），SB クリエイティブ

いろいろな数がわかりやすく紹介されている。素な素数が印象的であった。

●芹沢正三，素数入門（2002），講談社ブルーバックス

合同式やフェルマーの小定理など，本書では触れられなかった発展的な内容を知ることができる。

●ヴィッキー・ニール著，千葉敏生訳，素数の未解決問題がもうすぐ解けるかもしれない。（2018），岩波書店

近年の双子素数の研究の流れがわかりやすく語られている。

●加藤文元，中井保行，天に向かって続く数（2016），日本評論社

2乗して下の桁の数字が変わらない数は，この本を参考にした。具体的な数から初等整数論へ誘っていて面白い。

●一松信，整数とあそぼう（2006），日本評論社

2乗した数の対称性はこの本で知った。数に関する具体的な話が豊富である。

●B.シェルピンスキー著，銀林浩訳，ピタゴラスの三角形（1961），東京図書

ピタゴラス数にとどまらず，等しい周や面積をもつ直角三角形についても言及されている。

●西来路文朗，清水健一，素数はめぐる（2017），講談社ブルーバックス

分数の小数表示について，とても詳細に興味深く紹介されている。

●H.ラーデマッヘル，O.テープリッツ著，山崎三郎・鹿野健訳，数と図形（2010），ちくま学芸文庫

初版は90年ほど前だが，ピタゴラス数や分数の小数表示など親しみやすく面白い話題が並んでいる。

●片山孝次，数学とっておきの12話（2002），岩波ジュニア新書

カプレカ数やコラッツ算などの話題が扱われている。

●宮崎興二，多面体百科（2016），丸善出版

図がとても豊富で面白い。デザインに興味がある人にもおすすめである。参考にして，実際に多面体を作ってみるとよい。

●遠山啓，3次元の世界：立体幾何（数学の広場 第4巻）（2013），日本図書センター

オイラーの多面体公式やデカルトの定理，半正多面体について書かれている。

- **P.R.クロムウェル著，下川航也・平澤美可三・松本三郎・丸本嘉彦・村上斉訳，多面体〈新装版〉(2014)，数学書房**
  多面体について，歴史的なことから数学の理論的な内容までまとめられた本格的な数学書である。

- **エリック・D・ドメイン，ジョセフ・オルーク著，上原隆平訳，幾何的な折りアルゴリズム (2009)，近代科学社**
  本格的な数学書である。図も多く，中学生でも理解できる展開図などの未解決問題が豊富に挙げられている。『折り紙のすうり』(近代科学社，2012)はこの本がコンパクトにまとまっている。

- **尾崎敬子，楽しいてまり遊び：基礎からはじめる (2003)，マコー社**
  筆者は，てまりの教授に直接，作り方を教えていただいたが，てまりを作るのはとても時間を要するうえに対称性を保つための工夫も大変である。この本には，てまりの作り方の基礎がわかりやすく書かれている。

- **秋山仁，知性の織りなす数学美 (2004)，中公新書**
  展開図を辺以外でも切るという発想は，この本で知った。他にも，秋山先生の数学作りを知ることができる。

- **イーリー・マオール，オイゲン・ヨスト著，宮崎興二監訳，パウロ・パトラシュク訳，五角形と五芒星 (2023)，丸善出版**
  五角タイル貼りに歴史的にも触れられており，平面にとどまらず，双曲面上のものにも言及している。

おわりに

この本を手に取ってお読みくださり，ありがとうございました。

世間的に，数学というと，“学校の数学”が想起され，与えられた問題を解くことが主であるようにとらえられていると思います。

また，問題には解答が存在していると思っている人も多くいらっしゃるでしょう。友人に以前，「数学を研究している」と話したら，「数学にこれから解く問題なんてあるのか？」と言われたこともあります。

難しい問題を解けるかどうかを競う時代から，自由な発想で数学を探究し，誰もが十人十色の発信をできる時代に変化してほしいと思います。数学の探究には，数学自体を作り上げるものもあれば，日常を数学の目で見るもの，あるいは，数学を使って何かをデザインするものもあります。

そのような観点から，本書では素数の日，てまりや遊具，敷き詰め問題などを取り上げました。

全国のSSH校（スーパーサイエンスハイスクール）に通う高校生たちの発表内容を見ていると，近年では未解決問題に興味を示し，それぞれ独自の探究を進めている事例が多くあります。私自身，「こんなに理解しやすい問題が，いまだ解けていないのか！」という驚きを覚えて，数学を志しました。

実際に広く知られている未解決問題を解くのはたいへん難しく，なかなか解決できないものではありますが，「なぜ解けないのか」「どうすれば道筋が見えそうか」を考えるだけでも，数学の楽しみを得ることができます。

そして，数や図形の未解決問題を調べていると，中学数学の知識で十分にその内容を理解でき，中学校で習う要素と深い関係をもつものがたくさんあると気づきます。私自身，本書の執筆を進めるなかで，既知の未解決問題を楽しむことができました。

「ひっくり返して足すと回文数になる」という予想は，Excelで計算している最中に，ふと自分でも気づいたものです。

本書は，中学数学の知識があれば十分に楽しめるように配慮して執筆してあります。この本を通じて，中学校で習う数学の知識の大切さや豊かさ，深さを実感していただければ幸いです。

本書のタイトルは，講談社の方々がつけてくださいました。「数学センス」という語は，私自身にセンスがあると言っているようで気恥ずかしい面もありますが，本書の主旨に照らしてこの表現を選んでくださったことを光栄に思っています。

数学の探究法をまとめた興味深い書物に，G．ポリア著の『いかにして問題をとくか』（柿内賢信訳，丸善，1954）や『数学における発見はいかになされるか　1・2』（柴垣和三雄訳，丸善，1959），S．I．ブラウン，M．I．ワルター共著の『いかにして問題をつくるか』（平林一栄監訳，東洋館出版社，1990）などがあります。

これら先行する良書のように，限られた知識でも楽しんで読める本を著したいとかねて思っていました。

本書を通じて，少しでも数学の探究法が身につき，数学をより楽しめるようになっていただければ幸いです。

最後に，長年の夢であったブルーバックスの執筆を叶えていただき，美しく魅力的にまとめてくださった倉田卓史さんをはじめとする講談社の皆様に，深く感謝申し上げます。

2024年1月吉日

花木 良

さくいん

〈人名〉

〈アルファベット・数字〉

〈あ行〉

〈か行〉

〈さ行〉

〈た・な行〉

N.D.C.410　254p　18cm

ブルーバックス　B-2254

中学数学で磨く数学センス
数と図形に強くなる新しい勉強法

2024年2月20日　第1刷発行

著者　花木　良
発行者　森田浩章
発行所　株式会社講談社
〒112-8001　東京都文京区音羽2-12-21
電話　出版　03-5395-3524
販売　03-5395-4415
業務　03-5395-3615
印刷所　（本文印刷）株式会社新藤慶昌堂
（カバー表紙印刷）信毎書籍印刷株式会社
本文データ制作　藤原印刷株式会社
製本所　株式会社国宝社

定価はカバーに表示してあります。

ISBN978－4－06－535130－7

発刊のことば

科学をあなたのポケットに

二十世紀最大の特色は、それが科学時代であるということです。科学は日に日に進歩を続け、止まるところを知りません。ひと昔前の夢物語もどんどん現実化しており、今やわれわれの生活のすべてが、科学によってゆり動かされているといっても過言ではないでしょう。

そのような背景を考えれば、学者や学生はもちろん、産業人も、セールスマンも、ジャーナリストも、家庭の主婦も、みんなが科学を知らなければ、時代の流れに逆らうことになるでしょう。

ブルーバックス発刊の意義と必然性はそこにあります。このシリーズは、読む人に科学的に物を考える習慣と、科学的に物を見る目を養っていただくことを最大の目標にしています。そのためには、単に原理や法則の解説に終始するのではなくて、政治や経済など、社会科学や人文科学にも関連させて、広い視野から問題を追究していきます。科学はむずかしいという先入観を改める表現と構成、それも類書にないブルーバックスの特色であると信じます。

一九六三年九月

野間省一